쉽게 풀어 쓴 원가회계

고종하 著

 21세기사

PREFACE

회계과목을 처음 공부하는 학생들의 대부분이 회계공부 중에서 원가회계 공부를 매우 어렵다고 느낀다. 원가회계 공부를 쉽게 공부할 수 있는 방법이 없을까 고민하다가, 나의 강의 듣는 학생들이 원가회계 과목을 쉽게 이해할 수 있도록 "쉽게 풀어 쓴 원가회계"란 책을 출판하게 되었다. 이 책의 내용은 원가회계를 처음 배우는 학생들에게 주요 공식을 사용하여 문제를 풀고 그림을 그리면서 분개를 하면서 원가회계기초에 대한 내용을 매우 쉽게 배울 수 있도록 교재를 집필하였다.

이 책을 사용하여 공부하면, 각 장별로 개념을 쉽고 간결하고 핵심적인 내용만을 설명하면서, 각 장별로 주요공식들을 집중적으로 설명하였다. 원가회계를 공부하고 싶은 학생은 아래와 같이 공부하면, 원가회계 공부가 매우 쉽고 즐겁게 할 수 있을 것이다.

이 책을 보면서 원가회계를 쉽게 공부하는 법

- 이 책은 각 장별로 중요 핵심내용을 간결하게 표시하면서, 핵심내용들의 중요도를 표시해서, 공부하는 학생들이 꼭 알아야하는 부분은 별1에서 별7로 표시를 하였다. 원가회계 공부를 효율적으로 하려면, 별4에서 별7로 표시된 각 장에서 중요 핵심내용, 중요용어, 주요공식들을 꼭 기억하면서 공부하면, 원가회계 공부가 쉬워지고 재미있게 느껴질 것이다.

- 원가회계에서 문제를 쉽게 풀기 위하여 각 장에서 필요한 주요공식들을 요약해서 작성했다. 각장에서 필요한 공식들을 잘 활용하여 원가회계 문제들을 풀면, 문제들이 쉽게 풀릴 것이다.

- 원가회계에서 내부거래의 분개는 이해하기 참 힘들다. 회계상 거래를 분개할 때에 이 책에서 설명하는 것처럼 그림을 그리면서 분개를 하면, 엄청 쉽다. 내가 학생들 앞에서 회계상 거래를 그림을 그리면서 분개하는 방법을 가르쳤더니, 회계공부가 엄청 재미있고 쉽게 느껴진다고 하였다. 이 책을 읽는 모든 분들은 회계 상거래를 그림으로 표현하여 쉽게 분개하는 방법을 배울 것이다. 그림으로 회계 상거래를 표현하여 분개하면 분개를 틀리지 않고 잘 할 수 있다.

- 별5에서 별7로 표시된 공식과 문장들은 한 번에 암기가 어려우므로, 여러 번 노트에 써보고, 그 공식을 보면서 문제를 풀다보면, 자연히 머릿속에서 남아서 원가회계 문제를 쉽게 풀 수 있다.

- 원가회계의 문제를 풀면서 단위를 정확히 맞추는데 많은 노력을 하였다. 기존의 원가회계도서들은 단위와 공식사용이 모호하여, 독자들이 매우 혼란스러워서, 원가회계를 이해하기가 어렵다고 한다. 이러한 문제들을 해결하기 위해서는 이 책에서 사용되는 공식과 사용되는 단위는 정확히 일치시키려고 노력하였다.

CONTENTS

제1장
원가회계 기초 학습

1절 원가회계란?

기업에서 원재료를 구입하고 가공하여 제품을 만들어서 판매할 때까지 발생하는 원가 자료들을 집계하고 제품에 배분하고 분석하는 것이다. 즉, 제품제조에 필요한 재료비, 임금, 기타비용 등을 계산하여, 그 원가를 제품별로 배분하고 분석한다.

원가란 제조기업이 제품을 생산과정에서 소비된 자원을 말하며, 활동원가는 해당 활동을 위해 소비된 자원의 가치, 사업부 원가는 해당사업부를 위해 희생된 경제적 가치를 말한다.

제조기업인 경우에 원가회계작업은 기업의 생산 활동을 위해서는 [그림1.1] 처럼 우선 원재료를 구매하는 구매활동을 통하여 원재료를 매입하고, 매입된 원재료를 노동력과 생산설비를 사용하여 중간재인 재공 품을 만들면서 제품을 제조하기까지 발생하는 원가를 집계, 배분, 분석하는 것이다. 그림처럼 제품제조에 필요한 재료비, 임금, 기타비용을 계산하여 그 원가를 제품별로 구한 것이다.

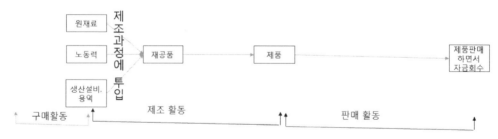

[그림 1.1] 개념으로 본 기업의 제조과정

(1) 제품 원가를 계산하는 주요한 이유는?

원가회계의 중요 핵심내용은 제품 제조 활동과정에서 생산된 제품의 단위당 원가를 산정하는 역할을 수행한다.

원가회계에서 단위당 제품 원가가격은 제품의 가격산정에 매우 중요한 역할을 수행하며, 제품의 판매가격은 원가보다 낮게 판매하면 손해가 발생한다. 원가회계에서 계산된 단위당 제품원가를 기준으로 판매상품의 가격을 설정하는데 기준 역할을 수행한다.

(2) **퀴즈 문제**

서울에서 한식집 음식점을 운영하는 식당에서 비빔밥 한 그릇을 만드는데 드는 비용과 음식점을 운영하려면 어떤 원가들이 존재할까?

- **해답**: 음식 재료비, 조리사 임금과 서빙사원의 월급, 조리기구비용, 건물 임대료 등이 존재함

(3) **원가회계의 목적**

원가회계의 작성목적은 [표 1.1]에서 나타난 것처럼, 외부에 공표할 재무제표작성에 사용되고, 제품을 제조할 때에, 제조원가가 과대로 발생하는 것을 찾아내서, 원가의 낭비요소들을 제거하여 원가를 절감하는데 사용한다. 또한 원가회계를 통해서 얻은 자료를 토대로 미래의 제품제조를 위한 예산편성과 상품판매를 위한 기준으로 활용할 수 있다.

[표 1.1] 원가회계 작성목표

목적	내용 설명
1) 재무제표 작성 목적	외부에 공표할 재무상태표, 손익계산서 등의 재무제표 작성에 사용함
2) 원가통제의 목적	원가의 과대발생을 제거, 원가발생 낭비요인 제거, 원가절감을 목적으로 함
3) 경영의사 결정 목적	제품의 가격결정, 미래의 예산편성 등에 사용함, 즉, 경영자들의 경영 의사 결정과, 미래의 경영계획 수립] 및 통제에 필요에 사용함

2절 ▶ 제조기업의 자본순환과정

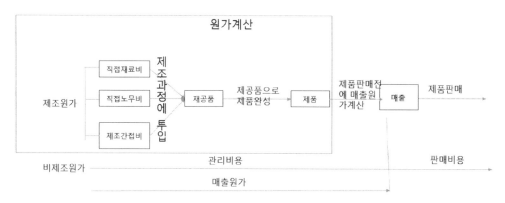

[그림 1.2] 제조기업의 자본순환 과정

제조기업의 자본 순환과정을 살펴보면 위의 [그림 1.2]에서처럼 제품제조를 위한 제조원가와 판매와 관리비를 비제조원가로 구성된다. 원재료를 구입하여 직접재료비와 직접노비와 제조간접비를 투입하여 재공품을 만들고 추가 공정을 거쳐 제품을 생산하여 제품을 판매하는 경우에는 제조원가에 속하고, 제조공장을 관리 유지하는 일은 간접적으로 제조활동을 돕는 역할을 수행하는 것이다. 그러나 본사에서 발생하는 모든 비용은 제조활동과는 직접관련성이 적어서, 판매와 관리비에 속하는 비용으로 처리하고 있다. 그런데, 예를 들어 안산공단에 있는 제조업을 방문해보면, 제조공장과 제조공장을 운영하는 본사건물이 제조 공장 내에 존재하고 있어서, 제조공정에 대한 모든 업무를 처리하는 기업들도 많이 있다. 이 경우에는 본사사무실의 업무전체가 제조공정에 대한 업무를 간접적으로 지원하는 역할을 수행하는 경우에는 이사무실에서 발생하는 비용들은 제조원가로 계산할 수 도 있다. 대체적으로 제조기업의 원가계산은 원재료를 사용하여 제품이 생산되기까지 발생하는 원가를 계산하는 과정을 말한다.

3절   원가회계에서 중요핵심 용어 #1

[표 1.2] 원가회계에서 사용되는 기본 용어

용어	용어 설명	중요도
원가	재화나 용역의 생산을 위해 소비되는 경제적 가치를 말한다.(생산측면)	별 7개
비용	일정기간의 수익을 얻기 위해 소비되는 경제적 가치를 말한다.(수익측면)	별 7개
비원가 항목	비원가 항목은 비용 또는 손실로 계상한다. 아래의 경우는 비원가항목이다. 예제: 비원가항목으로 처리하는 것들의 예 1) 제조 활동과 관계없는 가치의 감소 : 판매활동의 광고 선전비(판매관리비), 운반비(판매관리비), 판매사원의 급여(판매관리비) 2) 제조 활동과 관계가 있더라도 비정상적인 가치의 감소: 파업기간의 임금, 유휴자산의 감가상각비 등 기업 목적과 상반되는 가치의 감소 : 화재에 의한 손실, 도난에 의한 원재료나 제품의 감소액 등	별2개
소멸원가	미래에 더 이상 경제적 효익을 제공할 수 없는 소멸된 원가를 소멸 원가라고 한다. 소멸 원가는 제품이 판매되면서 매출원가로 표시하고 손익계산서상에 비용으로 표시함 **예** 원재료가 소비하여 제품이 되고 판매되면서 매출원가로 나타냄	별2개
미소멸 원가	과거의 거래나 사건의 결과로 획득되어 미래에 경제적 효익을 제공할 수 있는 소멸되지 않은 원가를 미소멸 원가라고 한다. 제품제조를 통해서 만들어진 제품은 재고자산으로 재무상태표에 표시된다. **예** 원재료가 제조활동을 통하여 재고자산으로 표현된 경우	별2개

원가회계를 처음 배울 때에 원가회계에서 사용되는 용어를 [표 1.2]의 내용을 참조하여 정확히 이해할 필요가 있다. 원가는 재화나 용역의 생산을 위해 소비되는 경제적 가치를 말하는 것으로 생산측면에서 말을 하는 것이고, 비용은 일정기간의 수익을 얻기 위해 소비되는 경제적 가치를 말하는 것으로 수익측면에서 말하는 것이다. 원가와 비용이라는 용어는 생산측면과 수익측면에서 사용하는 용어라서, 다른 개념이지만 비슷한 개념으로 동일하게 이해하면서 원가회계 문제를 풀어나가는 것이 좋다. 그렇지 않고, 엄밀히 원가와 비용을 구분하면서, 원가회계문제를 풀면, 용어상 혼돈으로 어려움이 닥칠 수도 있다. 그래서 원가와 비용은 동일한 개념으로 간주하고 모든 원가회계 문제를 풀면 좋다.

비원가 항목은 제조활동과 연관이 없는 비제조 활동으로 발생한 판매관리비나 비영업활동으로 발생한 비용들이다. 원가회계에서는 제조활동과 관련하여 발생하는 모든 원가들은 제조원가로 회계처리를 하고, 그 외의 경우인 비제조 활동에서 발생한 원가는 비원가 항목으로 처리한다.

소멸원가는 미래에 더 이상 경제적 효익을 제공할 수 없는 소멸된 원가를 소멸원가라고 한다. 미소멸 원가는 과거의 거래나 사건의 결과로 획득되어 미래에 경제적 효익을 제공할 수 있는 소멸되지 않은 원가를 미소멸 원가라고 한다.

4절　문제를 쉽게 풀기위한 핵심 주요공식 #1

[표 1.3] 핵심 주요 계산공식

핵심 주요 계산 공식	중요도
총원가 = 제조원가(당기 총 제조원가) + 비제조원가(판매관리비) 　　　= 당기 총 제조원가 + 판매관리비	별7
총원가 = (직접재료비 + 직접노무비 + 제조간접비) + 판매관리비	별7
원가의 기초개념 : 기본원가와 가공비 기본원가(기초원가) = 직접재료비 + 직접노무비 가공원가(전환원가) = 직접노무비 + 제조간접비	별7
당기 총 제조원가 = 직접재료비 + 직접노무비 + 제조간접비	별7
당기 제품 제조원가 = 기초재공품재고액 + 당기 총 제조원가 - 기말재공품재고액	별7
매출원가 = 기초제품재고액 + 당기제품제조원가 - 기말 제품 재고액	별7
매출액 = 매출원가 + 매출총이익	별7
매출총이익 = 판매관리비 + 영업이익	별5
법인세 차감전이익 = 영업이익 + 영업외수익 - 영업외비용	별5
당기순이익 = 법인세 차감전 이익 - 법인세비용	별5

　제조기업에서 발생하는 원가에는 당기총제조원가로 계산되는 제조원가와 판매관리비로 계산되는 비제조원가로 구성한다. 원가회계에서는 당기 총 제조원가에 해당되는 부분을 주로 계산한다. 당기 총 제조원가는 직접재료비, 직접노무비와 제조간접비로 구성되며, 원가회계에서 이에 대한 계산과정을 공부한다. 당기 제품 제조원가에서는 기초재공품재고액에 당기 총 제조원가를 더하고 기말재공품재고액을 **빼서** 계산한다. 매출원가계산에서는 기초제품재고액에 당기제품제조원가를 더하고, 기말재공품재고액을 **빼서** 계산한다. 매출액에서는 매출원가와 매출총이익으로 구성된다. 매출총이익에서는 판매관리비와 영업이익으로 계산된다. [표 1.3]의 주요 계산공식 중에서 별5에서 별7의 공식을 암기하면서, 원가회계문제를 풀려고 하면, 원가회계 계산을 매우 쉽게 계산할 수 있어서 즐겁다.

■ **원가회계의 계산에서 중요하게 다루는 부분을 점검하기**

제조기업에서 발생하는 원가는 아래의 식에서 나타낸 것처럼 제조원가와 비제조원가로 구성하고 있다. 제조원가는 당기 총 제조원가를 통하여 계산을 하고 비제조원가는 판매관리비를 통하여 원가를 계산한다.

> **총원가** = 제조원가(당기 총 제조원가) + 비제조원가(판매관리비)
> = **당기 총 제조원가 + 판매관리비**

제조원가는 원가의 3요소인 **재료비, 노무비와 제조간접비로 구성**한다. 당기 총 제조원가는 직접재료비, 직접노무비와 제조간접비의 합으로 표현할 수 있다.

> **당기 총 제조원가 = 직접재료비 + 직접노무비 + 제조간접비**

제조원가에서 직접재료비와 직접노무비를 **빼고서** 추적이 힘든 원가는 제조간접비로 분류하여 총 제조원가를 계산한다.

■ **원가계산의 중요 공식**

> 원가의 기초개념 : 기본원가와 가공비
>
> 기본원가(기초원가) = 직접재료비 + 직접노무비
>
> 가공원가(전환원가) = 직접노무비 + 제조간접비

제조원가 계산할 때에, 기본원가는 직접재료비에 직접노무비를 더해서 기초원가 혹은 기본원가라고 부르고, 가공원가는 직접노무비에 제조간접비를 더해서 구하는데 전환원가라고도 부른다. 고객의 주문에 의해서 제품을 개별적으로 생산하는 개별원가계산에서는 당기 총 제조원가로 제조원가를 계산한다. 소품종의 제품을 대량생산하는 산업에서는 종합원가계산방식을 사용하여 원가를 계산한다. 종합원가계산방식에는 제조원가의 계산에서 재료비와 가공원가의 합으로 계산한다. 원가의 계산방식에 따라서, 원가의 계산방식이 조금이 다르다. 이에 대하여 차후에 각 장별로 나누어서 제조원가를 계산하는 방법을 설명할 것이다.

5절 ▶ 원가회계와 상 기업 회계 비교

제조업의 원가회계와 상 기업에서 사용되는 기업회계를 비교해보면, [표 1.4]와같이 요약할 수 있다. 원가회계는 내부거래의 제조활동에 대한 원가를 계산하는데 사용되는 반면에 상기업중심의 기업회계에서는 구매나 판매활동중심에 대한 거래를 회계 처리하는데 사용된다. 원가회계에서는 회사 내의 내부거래를 기록하기 위한 계정과목이 많이 설정되어서 사용되지만 기업회계인 경우에는 이에 비하여 계정과목이 적게 설정되어서 회계를 처리한다. 원가회계에서 회계처리에서는 계정간 대체거래가 빈번히 생겨서, 이것에 대하여 회계 처리하는 반면에 상기업중심의 기업회계에서는 대체거래가 조금 사용된다. 원가회계에서 제품제조를 위해서 소비한 경제 가치를 원가라고 계상하는 반면에 상기업중심의 기업회계에서는 비용으로 회계를 처리한다. 원가회계에서 회계기간은 보통 월 단위로 회계를 처리하는 반면에 상기업의 기업회계에서는 6개월 단위의 반기나 1년 단위의 재무제표를 작성하는데 사용된다.

[표 1.4] 원가회계와 상기업 기업회계의 비교

비교 항목	원가회계 (제조업)	기업회계 (상기업: 일반회사)
사용분야	내부거래(제조활동) 중심	외부거래(구매, 판매 활동) 중심
계정과목	내부거래를 기록하기 위한 계정과목이 많이 설정됨	외부거래만 기록되므로 계정과목의 수가 적게 설정됨
회계처리	계정간 대체거래가 빈번하고 , 손익계정이외의 집합계정이 많이 설정됨	이익의 계상과 처분이외에 대체거래가 거의 없으며, 결산 시 집합계정으로 손익계정이 설정됨
원가와 비용처리	제품제조를 위해 소비한 경제 가치를 제품의 원가로 계상함	수익창출을 위해 소비된 경제 가치를 비용으로 계상
회계기간	회계 기간은 보통 1개월	회계 기간은 6개월 또는 1년

■ 원가회계를 이해하기 위한 제조업과 상품판매업의 개념적 비교

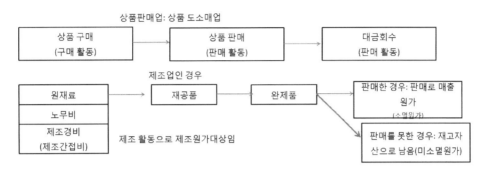

[그림 1.3] 제조업과 상품판매업의 개념적 비교

상품판매업인 경우에는 **판매관리비**만 존재하지만 제조업인 경우에는 **제조원가와 판매관리가 함께 존재**한다. 상품 도소매 업을 하는 경우를 그림으로 그려보면 [그림 1.3]의 그림처럼 상품을 구매해서 창고에 보관하고 상품을 판매하면서, 기업회계처리를 진행한다. 이에 반하여 제조업을 운영하는 기업인 경우에는 원재료를 사와서 노무비와 제조간접비를 투입하면서 가공하여 재공품을 만들고 완제품을 만들기까지의 제조원가를 계산하기 위하여 원가회계로 계산 작업을 수행한다. 제조업인 경우는 상품판매업을 하는 기업보다 제품을 제조 생산하는 부분이 추가로 덧붙인 개념으로 이해할 수 있다.

■ 원가관리회계의 범위를 살펴보기

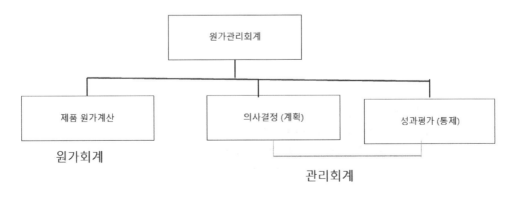

[그림 1.4] 원가회계와 관리회계

원가회계에 관련된 서적을 찾아보면 원가관리회계라는 제목으로 많은 책들이 출간된 것을 볼 수 있다. 위의 [그림 1.4]에서처럼 원가관리회계의 구성내용을 살펴보면 제품을 생산할 때에 발생하는 제조원가를 계산하는데, 원가회계를 사용하고, 기업 경영의 효율적 경영관리를 위해서 의사결정과 성과평가를 하는데 관리회계를 사용하고 있다. 즉, 원가란 재화나 용역을 얻기 위해서 희생된 경제적 자원을 화폐가치로 측정한 것을 의미해서, 이에 대한 제조원가를 정확히 계산하여 제품판매와 경영을 위한 통제자료로 사용한다. 특히, 원가관리회계는 경영자의 경영활동에 관한 제반사항 중 의사결정과 성과평가 및 제품평가 계산을 위한 유용한 경제적 정보를 제공하는데 사용하고 있다.

■ **원가를 의사결정과의 관련성으로 분류하는 경우**

원가를 의사결정과의 관련성으로 분류해보면 관련원가, 기회비용과 매몰원가라는 개념으로 설명할 수 있다. 관련원가는 [표 1.5]에서처럼 여러 대안 사이에 차이가 있는 미래원가로서 의사결정과 관련 있는 원가를 의미한다. 기회비용은 다른 용도로 사용하는 것을 포기함으로서 얻을 수 있는 최대금액을 의미한다. 매몰원가는 이미 원가가 과거에 발생하여 미래의 의사결정에 영향을 주지 못하는 원가를 말한다.

[표 1.5] 원가를 의사결정의 관련성으로 분류한 경우

용어	용어 설명	중요도
관련원가	여러 대안 사이에 차이가 있는 미래원가로서 의사결정과 관련 있는 원가이다. 예 주문하는 경우를 예로 들 수 있다.	별 2개
기회비용	다른 용도로 사용하는 것을 포기함으로서 얻을 수 있는 최대금액이다. 즉 다른 대체적인 용도로 사용할 경우에 얻을 수 있는 최대금액이라고 생각할 수 있다. 예 배가 고픈 상태에서 1 만원이 있는데 밥을 먹는 것이 좋은가, 저축을 하는 것이 좋은가?	별 2개
매몰원가	이미 원가가 과거에 발생하여 미래의 의사결정에 영향을 주지 못하는 원가를 말한다. 예 건물의 감가상각비	별2개

■ **원가계산방식의 종류**

[그림 1.5] 원가계산방식의 종류

원가회계에서는 제품형태의 성격에 따른 원가계산방식, 원가요소의 실제성 여부에 따른 원가계산방식 , 제품원가 구성요소에 따른 원가계산 방식 등의 [그림 1.5]에서 분류하여 원가를 계산한다. 이 책의 설명은 원가계산에 주요한 사항들을 설명하면서, 우선 제품의 형태에 따라서 개별원가와 종합원가계산을 계산하였다. 다음으로는 원가요소의 실재성에 따라서 실제원가계산, 정상원가계산과 표준 원가계산 하였다. 제품원가의 구성요소에 따라서 전부 원가계산 방식과 변동원가 계산방식을 설명하기 위해서는 많은 시간과 지면이 필요해서, 다음번에 하기로 하였다.

| 6절 | 원가회계에서 중요핵심 용어#2 |

[표 1.6] 중요 핵심 용어들

용어	용어 설명	중요도
원가대상	원가를 별도로 측정하고자 하는 활동이나 항목으로 경영자가 의사결정을 위하여 어떤 대상의 원가를 파악하고자 할 때, 그 대상을 원가대상이라고 한다.	별3
원가 집합	개별적인 원가항목들의 집단으로서 원가대상에 배분되어야 할 원가들의 집합을 의미하며, 기업에서 발생한 원가를 집계해 놓은 것을 말한다.	별2
원가형태	조업도 수준의 변화에 따른 총원가 발생액의 변동형태나 총원가의 변동을 말하며, 변동원가와 고정원가로 구분한다.	별2
원가동인	원가를 발생시키는 요인 또는 원가에 영향을 미치는 요소로서, 원가의 종류와 원가대상에 따라 매우 다양한 원가동인이 발생함 예 전력비인 경우에는 전력을 사용하는 기계 가동시간, 노무비인 경우에는 노무시간, 작업 준비 횟수인 경우에는 작업 준비 횟수나 작업 준비시간이 원가동인이 됨	별7
조업도	기업이 보유한 자원의 이용 정도를 나타내는 산출량인 생산량 또는 판매량 등으로 기록되거나 투입량의 직접 노동시간, 기계 가동시간으로 표시함 예 생산량, 판매량, 직접 노동시간, 기계 가동시간	별7
재료비	제품제조에 투입된 원재료의 소비액을 말하며, 재료의 소비로 인하여 발생하는 원가이다.	별7
노무비	제품제조에 투입된 노동력에 대한 임금소비액을 말하며, 생산직 직원의 임금, 급여, 상여금, 공장 감독자에게 지급하는 급여 등이 노무비에 해당된다.	별7
제조경비	재료비와 노무비를 제외한 모든 제품제조에 투입된 원가를 말하며, 공장건물이나 기계장치의 감가상각비, 공장의 수도광열비, 공장의 보험료 등이 이에 해당된다.	별7

제조업에서 제조원가 계산방식을 공부 할 때에는 [표 1.6]에서 요약해놓은 용어들을 잘 이해하고서, 원가회계공부를 해야 한다. 원가대상은 원가를 측정하고자 하는 활동이나 항목을 원가대상이라고 한다. 원가의 형태로는 조업도 증가하면 총원가는 증가하고 단위당 변동원가는 일정한 경우에는 변동원가로 구분하고, 이와는 반대로 조업도가 증

가하면 총원가는 변함이 없고, 단위당 원가는 감소하는 경우에 고정원가로 구분한다. 원가동인은 원가를 발생시키는 요인 또는 원가에 영향을 미치는 요소이다. 조업도는 기업이 보유한 자원의 이용 정도를 나타내는 산출량인 생산량 또는 판매량 등으로 나타낸다. 재료비는 제품제조에 투입된 원재료의 소비액을 말하며, 노무비는 제품제조에 투입된 노동력에 대한 임금소비액을 말한다. 제조경비는 제조간접비로서 재료비와 노무비를 제외한 모든 제품제조에 투입된 원가를 말하며, 원가계산에서 이에 대한 정확한 계산이 매우 중요하다.

7절 ▶ 추적가능성에 따른 원가 분류

개별원가 계산방식으로 제조원가를 계산할 때에는 [표 1.7]의 내용처럼 제조원가를 추적이 가능한 경우에는 직접비로 분류하고 제조원가의 추적이 힘든 원가는 간접비로 분류하여 원가를 계산한다.

[표 1.7] 직접비와 간접비의 비교

직접비 설명	간접비 설명	중요도
직접비(직접원가): 특정 제품의 제조에 직접 소비된 금액으로 **직접 추적이 가능한 원가로 직접재료비 , 직접노무비 , 직접 제조간접비로 구성됨** 1) 직접재료비: 주요재료비, 부품비(부분품비) • 제품제조를 위해서 직접추적이 가능한 재료비와 부품비로 구성됨 2) 직접노무비 : 직접임금 제품 제조활동에 직접 참가한 생산직 직원들의 월급이 이에 해당함 3) 직접제조경비 : 외주가공비, 특허권사용료, 설계비 직접 제조원가 중에서 직접 재료비와 직접 노무비를 빼고서, 추적이 가능한 제조경비를 말한다. 개별원가계산에서는 직접 재료비와 직접 노무비를 빼고서, 직접 제조경비를 제조간접비로 주로 처리함	간접비(간접원가): 여러 종류의 제품에 공통으로 소비되는 원가로서, 특정제품에서 발생한 것으로 **금액을 추적할 수 없는 원가로서, 간접재료비, 간접노무비, 간접제조경비로 구성된다. 개별원가계산에서는 간접비를 모두 제조간접비로 분류하여** 원가를 계산한다. 1) 간접재료비 : 보조 재료비, 소모공구 비품비 • 추적이 어려운 재료비 2) 간접노무비 : 간접공 임금, 수선공임금, 공장 감독자의 급여 • 추적이 어려운 노무비 3) 간접제조경비 : 전력비, 가스수도료 등 • 추적이 어려운 제조경비	별7

개별원가계산에서 추적이 가능한 직접비(직접원가)는 직접재료비, 직접노무비 , 직접제조간접비로 분류한다. 직접재료비는 제품제조를 위해서 투입된 재료의 추적이 가능한 재료비를 말하고, 직접노무비는 제품제조를 위해서 투입된 추적이 가능한 노무비를 말한다. 개별원가에서는 직접재료비와 직접노무비를 뺀 원가는 제조간접비로 처리한다. 특히, 제조 경비 중에서 **금액을 추적할 수 없는 원가로서, 간접재료비, 간접노무비, 간접제조경비로 구성**된다. **개별원가계산에서는 간접비를 모두 제조간접비로 분류**하여 원가를 계산한다. 제조원가계산에서 제조원가를 추적할 수 없는 경우에는 원가계산방식에

따라서 여러 가지 원가방법들을 사용하여 제조간접원가를 제품에 배분한다. 개별원가계산방식에서는 보조부문에 발생한 제조간접비를 제조부문으로 배분하고 제조부문에서는 보조부문에서 받은 제조간접원가와 제조부문에서 발생한 제조간접원가를 집계하고, 그 집계된 제조간접원가를 제품에 배부한다. 소품종의 제품을 대량생산하는 산업체에서 사용하는 종합원가계산방식에서는 추적이 어려운 제조간접비를 가공비항목으로 묶어서 처리한다. 즉, 종합원가계산에서는 직접노무비와 제조간접비를 합해서, 가공비항목으로 묶어서 제품에 배부하면서 처리한다.

8절   조업도(생산량)에 따른 원가 분류

8.1 조업도에 따른 변동원가의 총원가와 단위당 원가

[표 1.8] 변동원가(변동비)

변동비(변동원가) 총원가	변동비(변동원가) 단위당 원가	중요도
		별7
변동원가에서는 조업도가 증가하면 총원가는 비례하여 증가한다. 즉, 조업도인 생산량이 증가하면, 총원가는 증감하고 제품단위당 원가는 일정하다. **예** 재료비, 노무비	변동원가에서는 조업도가 증가하면 단위당 원가는 일정하다. 단위당 원가는 총원가를 조업도로 나눈 값으로 일정하다. **예** 단위당 재료비, 단위당 노무비	별7

　　제품을 제조할 때에 직접재료비와 직접노무비는 제품의 생산량인 조업도를 증가시키면 증가시킬수록 직접재료비와 직접노무비가 증가함을 볼 수 있다. 이 경우에 제품생산을 위해서 사용된 직접재료비와 직접노무비의 총원가의 증가는 조업도인 생산량에 비례해서 증가하고, 단위당원가는 조업도의 변화에 일정한 값을 갖는 것을 알 수 있다. 위의 [표 1.8]에서처럼 변동원가인 경우에는 조업도가 증가하면 총 변동원가는 조업도에 비례해서 증가하고, 단위당 변동원가는 조업도가 증가해도 일정한 값을 유지한다. 변동원가를 갖은 예로는 재료비와 노무비는 변동원가로 분류하고 있다.

회사에서 제품을 일 년에 최대 1,000개를 제조할 수 있는 기계1대를 100억에 현금을 주고서 구입하였다. 이 기계는 10년 후에 1억짜리 기계로 노후화가 되면서, 폐기처리 해야 한다. 이 경우에 정액법에 의한 연도별 감가상각비로 처리해야하는데, 연도별로 발생하는 연도별감가 상각비는 변동원가인가 아니면 고정원가인가?

풀이 정액 법에 의한 연도별 감가상각비 = (취득원가 - 잔존가치)/ 내용연수 = (100억 - 1억)/10 년 = 99억/10년 = 9억9천만 원

이 기계의 연도별 감가상각비 9억9천만 원으로 연도별 총고정원가로서 일정하다. 일 년에 제품 1개 생산하거나 혹은 제품 1,000개를 생산하거나 총원가는 일정하다. 일 년에 한 개 의 제품을 생산하면, 한 개 제품에 대한 단위당원가는 9억9천만원이다. 이 기계를 일 년 1,000개의 제품을 생산하면, 제품의 단위당원가 = 총원가 990,000,000/1,000개 = 990,000 원으로 감소한다.

해답 이 기계에 대한 감가상각비의 처리는 고정비(고정원가)로 처리한 것이다.

8.2 조업도에 따른 고정원가의 총원가와 단위당 원가

[표 1.9] 고정원가(고정비)

고정비(고정원가) 총원가	고정비(고정원가) 단위당 원가	중요도
총원가 ↑ 고정총원가 〔그래프〕 조업도: 생산량	단위당 원가 ↑ 고정단위당원가 = 총원가/조업도 〔그래프〕 조업도: 생산량	별7
고정원가는 조업도가 증가하면, 총원가는 일정하다. 위의 그래프에서처럼 조업도인 생산량이 증가해도 고정 총원가는 일정하다. **예** 감가상각비, 임차료	고정원가는 조업도가 증가하면, 제품단위당 원가는 감소한다. 위의 그래프에서처럼, 조업도인 생산량이 증가하면 고정 단위당원가는 총원가에서 조업도로 나눈 값으로 감소한다. **예** 단위당 감가상각비, 단위당 임차료	별7

고정원가는 조업도가 증가하면, 총원가는 일정하다. [표 1.9]에서처럼 조업도인 생산량이 증가해도 고정 총원가는 일정한 그래프를 볼 수 있다. 만일회사는 1년 공장건물을 임차하여 제품을 생산하는 경우에는 제품을 많이 생산하거나 적게 생산하거나 관계없이 고정된 1년 임차료를 지불해야한다. 이 경우를 고정원가로 분류하여 처리한다. 위의 예제문제에서 기계장치의 감가상각비도 고정원가에 속한다. 고정원가의 단위당원가는 조업도가 증가하면, 증가할수록 단위당원가는 감소하는 것을 알 수 있다. 즉 비싼 기계를 도입하여 제품을 생산하고 있는 제조업을 운영하는 회사에서는 제품당 고정원가를 줄이기 위하여 제품을 생산하기 위해 주간과 야간으로 나누어서 24시간 제품을 생산하기 원한다. 그 이유는 기계의 최대 조업도까지 제품의 생산능력을 올릴 수 있다면, 제품에 배분되는 단위당 고정원가를 최대한으로 제품단위당 원가를 줄여서, 제품을 생산하게 된다.

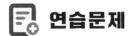 **연습문제**

1. 다음의 보기에서 제조원가에 포함해야 할 항목은?

① 영업외비용   ② 법인세비용

③ 공장장의 급여   ④ 환급세액

풀이 공장장의 급여는 제조원가에 속함

2. 안산전자주식회사에서 다음과 같은 자료가 발생하였다. 다음 자료에 의거하여 제조원가에 포함될 금액을 계산해서 고르시오?

간접재료비 : 10,000	공장보험료 : 2,000
영업사원급여: 1,500	제조외주가공비 : 1,300
본사건물보험료 : 500	공장장급여: 10,000

① 20,000   ② 23,300

③ 25,000   ④ 27,000

풀이 당기 총 제조원가 = 직접재료비 + 직접노무비 + 제조간접비

제조원가 = 간접재료비10,000 + 공장보험료 2,000 + 제조외주가공비1,300 + 공장장 급여 10,000 = 23,300

3. 다음의 보기에서 금돌이가 설명하는 변동원가에 대한 설명으로 틀린 것은?

① 변동원가는 조업도가 증가하면 총원가는 일정하다.

② 변동원가는 조업도가 증가해도 단위당원가는 변함이 없다.

③ 제품을 제조할 때 사용하는 직접재료비는 대표적인 변동원가이다.

④ "변동총원가 = 단위당변동원가 * 조업도" 라는 식으로 계산한다.

풀이 변동원가는 조업도가 증가하면 총원가는 증가한다.

변동원가는 조업도에 영향을 받아서, 조업도가 증가하면 총원가는 증가하고 단위당원가는 일정하다.

변동총원가 = 단위당변동원가 * 조업도

고정원가는 조업도에 무관하게 영향을 안 받는다. 총원가는 일정하고 단위당 원가는 조업증가하면 단위당원가는 감소함

4. 안산전자의 다음 자료에 의하여 기본원가와 가공비금액을 계산하면 얼마인가?

> 직접재료비 : 40,000   직접노무비: 60,000
> 변동제조간접비: 110,000   고정제조간접비: 80,000

① 기본원가 :100,000 가공원가:250,000   ② 기본원가: 130,000 가공원가: 240,000

③ 기본원가 :140,000 가공원가:240,000   ④ 기본원가:100,000 가공원가: 150,000

풀이 기본원가(기초원가) = 직접재료비 + 직접노무비 = 40,000 + 60,000 = 100,000
　　　가공원가(전환원가) = 직접노무비 + 제조간접비(변동제조간접비 + 고정제조간접비)
　　　　= 60,000 + (110,000 + 80,000) = 250,000

5. 다음의 보기에서 금돌이가 설명하는 고정비에 해당하는 것을 고르면?

① 전력비   ② 공장건물임차료

③ 아르바이트 시간제임금   ④ 원재료비

풀이 1) 변동비: 전력비, 아르바이트 시간제임금, 원재료비
　　　2) 고정비: 공장건물임차료

6. 다음의 보기에서 금돌이가 설명하는 것 중에서 제품제조원가와 관련이 없는 것은?

① 판매관리비   ② 가공비

③ 기본원가   ④ 당기 총 제조원가

풀이 판매관리비는 비제조원가에 속함

7. 다음의 보기에서 금돌이가 설명하는 것 중에서 제품제조원가와 관련이 없는 것은?

① 기계장치 감가상각비   ② 공장 경비원 월급

③ 대표이사 급여   ④ 공장장 급여

풀이 대표이사의 급여는 판매관리비에 속함

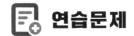

8. 다음의 보기에서 금돌이가 설명하는 것 중에서 조업도의 증감에 관계없이 일정한 범위의 조업도 내에서 그 총액이 항상 일정하게 발생하는 원가요소를 고르면?

① 전력비   ② 기계장치감가상각비

③ 동력비   ④ 노무비

> **풀이** 조업도의 증감에 관계없이 총원가가 일정하게 발생하는 원가요소는 고정비(고정원가)이다.
> 　 1) 변동비 예: 전력비, 노무비, 원재료비
> 　 2)고정비 예: 기계장치 감가상각비, 임차료

9. 다음의 보기에서 금돌이가 변동비와 고정비에 대하여 설명하는 것 중에서 틀린 것은?

① 제조원가명세서의 작성에는 변동비와 고정비로 구분하여 작성한다.

② 기업의 경영자가 경영의 효율화를 위해서 변동비와 고정비로 나누어서 원가를 비교 분석한다.

③ 변동비는 조업도가 증가하는 경우에는 단위당 변동원가는 일정하다.

④ 고정원가는 조업도가 증가하는 경우에 단위당변동원가는 감소한다.

> **풀이** 제조원가명세서작성에서는 변동비와 고정비를 구분하여 작성하지 않는다.

10. 다음의 보기에서 금돌이가 설명하는 것 중에서 기초원가(기본원가)와 가공원가(전환원가)에 속하는 원가요소를 고르면?

① 직접노무비   ② 직접재료비

③ 직접재료비와 제조간접비   ③ 판매관리비

> **풀이** 기초원가(기본원가) = 직접재료비 + 직접노무비, 가공원가(전환원가) = 직접노무비 + 제조간접비

11. 다음의 보기에서 금돌이가 설명하는 원가회계의 목적으로 적합하지 않은 것은?

① 판매한 제품의 매출액 계산   ② 판매할 제품의 매출원가계산

③ 제품의 제조원가계산   ④ 제조원가통제와 제품의 가격결정

> **풀이** 매출액계산은 손익계산서에서 작성

12. 조업도가 증가하는 경우에 금돌이가 설명하는 변동원가와 고정원가에 대한 설명으로 옳은 것은?

① 변동원가에서는 총 변동원가는 일정하며, 단위당변동원가는 증가한다.

② 변동원가에서 총 변동원가는 증가하며, 단위당변동원가는 일정하다.

③ 고정원가에서 총 고정원가는 일정하며, 단위당고정원가도 일정하다.

④ 고정원가에서 총 고정원가는 일정하며 단위당고정원가는 증가한다.

> **풀이** 변동원가에서는 조업도가 증가하면, 총 변동원가는 증가하고 단위당변동원가는 일정하고 고정
> 원가에서는 조업도가 증가하면, 총 고정원가는 일정하고 단위당변동원가는 감소함

13. 금돌이가 설명하는 다음의 보기에서 제조간접비에 속하지 않은 것은 ?

① 간접노무비   ② 간접재료비

③ 공장장의 급여   ④ 판매관리비

> **풀이** 간접노무비, 간접재료비, 공장장의 급여는 제조간접비에 포함시켜서 계산함
> 판매관리비는 비제조원가임

14. 금돌이가 설명하는 원가의 분류에 대한 설명 중에서 틀린 것은?

① 제품의 제조에 사용된 원가 중에서 추적이 가능한 원가를 직접비라고 한다.

② 제품의 제조에 추적이 불가능한 원가를 간접비라고 한다.

③ 기본원가 = 직접재료비 + 직접노무비 식으로 기본원가를 계산한다.

④ 가공원가는 제조간접비를 의미한다.

> **풀이** 가공원가 = 직접노무비 + 제조간접비로 표현함

15. 금돌이가 설명하는 다음의 보기에서 제조원가에 속하는 것은?

① 공장건물감가상각비, 기계감가상각비

② 공장전력비, 광고 선전비

③ 기계수선비, 영업사원급여

④ 공장장의 급여, 공장직원피복비, 기획이사 급여

> **풀이** 제조간접비: 공장건물감가상각비, 기계감가상각비, 기계수선비, 공장장의 급여

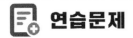

16. 금돌이가 설명하는 원가의 개념설명이다. 설명 중에서 틀린 것은?

① 원가계산의 종류에는 제품 제작의 형태에 따라 개별원가, 종합원가로 계산한다.

② 원가회계에서 사용하고 원가란 재화나 용역을 얻기 위하여 희생된 경제적 자원을 말한다.

③ 조업도의 예로는 생산량, 판매량, 직접노동시간 등을 조업도로 삼을 수 있다. 원가와 인과관계가 있는 척도를 조업도로 선택한다.

④ 조업도가 증가하면 변동원가에서 단위당변동비는 증가하고 총 변동원가는 일정하다.

> **풀이**　조업도가 증가하면 변동원가에서 단위당변동원가는 일정하고 총 변동원가는 증가하고, 고정원가에서는 단위당 고정비는 감소하고, 총 고정원가는 일정하다.

17. 다음 자료에 의하여 기본원가, 가공원가, 당기 총제조원가를 구하시오?

변동제조간접비 : 170,000원	고정제조간접비 : 60,000원
직접재료비: 240,000원	직접노무비: 300,000원

① 기본원가: 540,000 가공원가: 530,000 당기총제조원가: 770,000

② 기본원가: 500,000 가공원가: 570,000 당기총제조원가: 690,000

③ 기본원가: 550,000 가공원가: 540,000 당기총제조원가: 780,000

④ 기본원가: 540,000 가공원가: 520,000 당기총제조원가: 760,000

> **풀이**　기본원가 = 직접재료비240,000 + 직접노무비300,000 = 540,000
> 가공원가 = 직접노무비300,000 + 제조간접비(170,000 + 60,000) = 530,000
> 당기총제조원가 = 직접재료비240,000 + 직접노무비300,000 + 제조간접비(170,000 + 60,000)
> = 770,000

18. 금돌이가 설명하는 원가의 개념에 대한 설명이다. 이에 대한 설명으로 틀린 것은?

① 직접원가는 원가대상에 대하여 원가를 추적할 수 있는 원가이다.

② 기간원가계산에서는 제품원가 이외에, 원가계산 기간 동안에 발생하는 판매관리비도 포함된다.

③ 매몰원가란 경영자가 통제할 수 있는 과거의 의사결정으로 부터 발생한 원가이다.

④ 기회비용이란 자원을 다른 대체적인 용도에 사용할 경우에 얻을 수 있는 최대금액으로 회계장부에 기록되지 않는다.

> **풀이**　매몰원가란 경영자가 통제할 수 없는 과거의 의사결정으로 부터 발생한 원가이다.

19. 금돌이가 설명하는 가공원가에 대한 설명으로 옳은 것은?

① 제조기업에서 가공원가는 제품의 제조에서 발생한 모든 원가를 말한다.

② 가공원가는 과거에 이미 발생하여 경영자가 의사결정에 영향을 주지 못하는 원가를 말한다.

③ 제조기업에서 가공원가는 직접재료비와 직접노무비의 합으로 계산한다.

④ 제조기업에서 가공원가는 전환 원가라고도 불리며, 직접노무비와 제조간접비의 합으로 계산한다.

> **풀이** 가공원가 = 직접노무비 + 제조간접비로 표현함

20. 다음의 자료에 의거하여 기초원가, 가공비, 당기 총 제조원가를 계산하시오.

변동제조간접비 : 100,000원	본사전기료 80,000원
간접재료비: 140,000원	직접노무비: 200,000원

기초원가?(   ), 가공비 ?(   ), 당기총제조원가 ? (   )

> **풀이** 기초원가(기본원가) = 직접재료비 + 직접노무비200,000 = 200,000
> 가공비 = 직접노무비200,000 + 제조간접비(100,000 + 140,000) = 440,000
> 당기총제조원가 = 직접재료비 + 직접노무비200,000 + 제조간접비(100,000 + 140,000) = 440,000

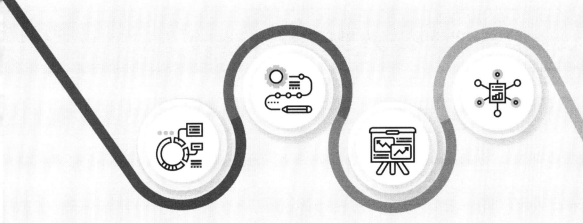

제2장
제조원가계산의 원리

1절 ▶ 제조원가의 흐름과 원가계산의 종류

1.1 제조원가의 흐름 파악하기

[그림 2.1] 원가흐름도

제조기업은 [그림 2.1]처럼 제품제조를 위해서, 원재료를 구입하고 제조공정에서 반제품상태인 재공품을 만들고 나서, 추가적으로 제조 공정처리를 한 후에 제품을 만든다. 제조된 제품에서 매출원가를 계산한 후에, 제품의 판매는 최소한 매출원가보다 비싸게 판매를 해야 손해가 발생하지 않는다. 제품제조에 사용된 재료비와 임금은 지출되는 시점에 비용 처리되는 것이 아니라 제품이 완성되는 시점까지가 이를 재고자산으로 보고, 판매되는 시점에 비용으로 처리한다.

1.2 원가계산의 종류

원가계산을 계산하는 시기별로 나누어서 분류하면 아래의 [표 2.1]처럼 제품 생산 전에 사전원가를 계산하는 표준 원가계산 방식과 제품이 생산된 후에 실제발생한 원가를 기초로 하여 실제원가를 실제 원가계산 방식이 있다. 표준 원가계산 방식은 제품원가를 사전에 설정된 표준원가를 기초로 하여 원가를 계산하기 때문에 신속한 경영자의 의사결정에 도움을 줄 수 있다. 실제 원가계산 방식은 회계기간의 기초부터 기말까지의 실제로 발생한 원가요소의 실제소비량과 발생한 실제가격을 적용하여 실제원가를 계산한다. 이 방식은 재무 재표의 작성에 기초자료로서 사용된다.

원가계산을 생산형태로 분류해보면 개별원가계산 방식과 종합원가계산 방식으로 나눌 수 있다. 개별원가계산 방식인 경우에는 개별적인 제품을 주문제작으로 생산하는 경우에는 사용되는 방법이고 종합원가계산 방식인 경우에는 동일한 제품을 대량생산하는 경우에서 사용하는 원가계산방식이다.

　원가계산 범위로 원가계산 방식을 분류해보면 전부 원가계산방식과 직접(변동) 원가계산방식으로 나눌 수 있다. 전부 원가계산 방식은 일반적인 재무제표의 작성에서 사용되는 방식으로 직접원가, 간접원가, 변동원가, 고정원가를 모두 포함하여 계산하는 방식이다. 전부 원가계산방식을 사용한 원가계산을 하는 경우에는 경영자가 당기에 경영성과를 높이기 위하여 기말재고자산을 많이 생산하는 경우에는 매출원가를 줄이면서 당기순이익이 높아진다. 이런 단점을 없애기 위하여 직접(변동)원가계산에서는 변동비만을 원가대상으로 삼아서, 원가를 계산함으로서 전부 원가계산에서 발생하는 단점을 보완하기 위하여 사용된다. 이것과 관련된 내용들은 차후에 학습할 내용이다.

[표 2.1] 원가계산종류

구분	원가계산종류	주요 내용	중요도
원가 계산 시기	사전원가계산 (표준원가계산)	표준 원가계산 방식은 제품의 생산을 위하여 원가요소를 소비하는 시점에 사전적으로 예정가격이나 표준가격 등을 사용하여 원가를 계산하는 방법으로 신속한 경영의사결정을 내릴 수 있도록 한다. 예 예산편성, 원가통제, 미래의 제품개발에 사전 원가계산에 사용함	별5
	실제원가계산 (사후원가계산)	제품의 생산이 완료된 후에 원가요소의 실제 소비량과 실제가격을 적용한 실제발생액을 이용하여 원가를 계산하는 방식이다. 예 일반적인 재무제표의 작성에 사용됨	별7
생산 형태	개별원가계산	개별적으로 주문 생산하는 경우에 사용한다. 예 주문 생산하는 건설업, 조선업, 기계제조업 등	별7
	종합원가계산	성능, 규격이 같은 동일 종류의 제품 또는 여러 종류의 제품을 연속하여 반복적으로 생산하는 경우에 사용한다. 예 대량생산하는 제분업, 제당업, 제지업, 정유업에서 사용함	별7
원가 계산 범위	전부원가계산	직접재료비, 직접노무비, 변동직접비 등의 변동비와 고정비인 고정간접비를 제품원가계산에 포함시킨다. 예 일반적인 재무제표 작성에서 사용되는 원가정보를 얻기 위하여 사용됨 단점: 경영자의 경영성과를 부풀림을 방지할 수 없음	별7
	직접(변동) 원가계산	직접재료비, 직접노무비 등의 변동비만을 원가계산의 대상으로 한다. 예 고정비는 제품의 원가를 구성하지 않고 기간비용으로 처리함 장점: 경영자의 경영성과를 부풀림을 방지할 수 있음	별5

1.3 개별원가계산의 절차

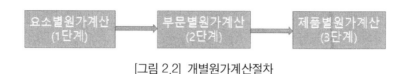

[그림 2.2] 개별원가계산절차

　　개별원가계산에서는 [그림 2.2]에서처럼 우선 1단계에서는 원가요소별로 원가를 계산한 후에 부문별로 발생한 원가를 제품에 배분하여 제품별 제조원가를 계산한다. 개별원가의 요소별 원가계산에서는 제조활동에서 발생한 원가를 추적이 가능한 원가인 경우에는 직접재료비와 직접노무비로 구분한다. 추적이 불가능한 직접재료비와 직접노무비를 제외한 원가는 제조간접비로 요소별로 원가를 구분한다. 다음의 단계로 보조부문에서 발생한 제조간접원가를 제조부문에 배부하는 절차를 진행한다. 이러한 절차를 부문별 원가계산이라고 한다. 제조부문에서는 보조부문에서 받은 제조간접원가와 자기 자신에서 발생한 제조간접원가를 함께 집계해서, 이 원가를 제품에 배부하는 절차를 진행한다.

　　제품별원가계산에서는 2단계인 부문별원가계산에서 계산된 원가를 제품에 배부하는 절차를 말한다.

2절 개별원가계산에서 사용되는 주요 공식

[표 2.2] 개별원가계산에서 사용되는 주요공식

개별원가계산에서 사용되는 중요 공식	중요도
1. 원가의 구성도에 사용 되는 주요 공식 　직접원가 = 직접재료비 + 직접노무비 + 직접제조경비 　제조간접비 = 간접재료비 + 간접노무비 + 간접제조경비 　당기총제조원가 = 직접재료비 + 직접노무비 + 제조간접비	별7
2. 노무비 계산에 사용되는 주요공식 　노무비 = 임금 + 급여 + 잡급 + 종업원 상여수당 　임금소비액 = - 전월미지급액 + 당월지급액 + 당월미지급액	별7
3. 제조경비항목에 사용되는 주요공식 　제조경비항목 = 감가상각비 + 화재보험료 + 임차료 + 전력비 + 가스수도료 + 잡비등 　제조경비소비액 = 전월선급액 - 전월미지급액 + 당월지급액 + 당월미지급액 - 당월선급액	별7
4. 제조원가명세서 계산에 사용되는 주요 공식 　당기원재료소비액 = 기초원재료 재고액 + 당기원재료매입액 - 기말원재료재고액 　당기총제조원가 = 직접재료비 + 직접노무비 + 제조간접비 　당기제품제조원가 = 기초재공품재고액 + 당기총제조원가 - 기말재공품재고액 　매출원가 = 기초제품재고액 + 당기제품제조원가 - 기말제품재고액	별7

　개별원가에서는 원가를 직접재료비, 직접노무비와 제조간접비로 나누어서 제조원가를 계산한다. 위의 [표 2.2]에서처럼, 제조원가는 직접재료비, 직접노무비와 제조간접비를 더해서 총제조원가를 계산한다.

　노무비를 구성하고 있는 임금의 소비액의 계산은 당월지급액과 당월미지급액을 더하고 전월미지급액을 **빼서** 계산한다. 제조간접비를 구성하고 있는 제조경비소비액은 전월 선급액, 당월지급액, 당월미지급액을 더하고 전월미지급액과 당원 선급액은 **빼면서** 계산한다. 개별원가계산방식에서는 제품별로 원가를 계산하기 위하여 제조원가명세서를 작성하는데, 위의 주요 공식들을 사용하여 당기제품제조원가를 계산한다.

3절 ▶ 원가계산에서 분개하기

3.1 원가계산에서 계정과목별로 대체분개

원가회계에서 사용하는 분개들은 기업의 제조활동을 하면서 기업내부에서 일어나는 내부거래를 분개하여 회계 처리하는 것이다.

(1) 원재료를 외상으로 구입 시

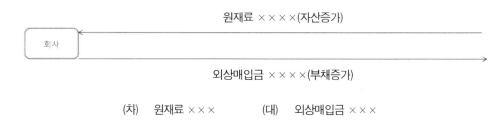

원재료 ××××(자산증가)

회사

외상매입금 ××××(부채증가)

(차)   원재료 ×××   (대)   외상매입금 ×××

제품제조를 위한 원재료를 외부에서 외상으로 구입하는 경우에는 회사 내부로 원재료가 들어오면서, 외상매입금 부채가 증가하는 형태로 그림으로 표현할 수 있다. 이것을 회계처리를 위한 분개로 표현하면, 차변에 원재료 ×××, 대변에 외상매입금 ×××로 분개할 수 있다.

(2) 원재료를 사용하여 제품을 만들기 위해서 출고하면서, 원재료가 원재료비로 변환하는 경우

원재료비××× (비용발생)

회사

원재료 ×××(자산 감소)

(차)   원재료비 ×××   (대)   원재료 ×××

구입한 재고자산인 원재료를 사용하여 제품을 만들기 위하여 창고에서 제조활동으로 투입되는 경우에는 자산인 원재료가 원재료비로 변환하도록 계정간 대체거래가 일어나도록 그림으로 표현할 수 있다. 이것을 회계처리를 위한 분개로 표현하면, 차변에 원재료비 ×××, 대변에 원재료 ××× 로 분개할 수 있다.

(3) 원재료 비를 사용해서 재공품으로 만든 경우에 제조간접비도 추가 발생함

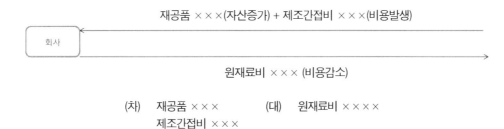

원재료비를 사용해서 반제품상태인 재공품이 만들어지면서, 간접재료비로 사용되는 경우에는 그림으로 표현할 수 있다. 이것을 회계처리를 위한 분개로 표현하면, 차변 계정과목인 재공품과 제조간접비, 대변계정과목인 원재료비로 대체거래가 발생한 것으로 위의 거래를 분개 처리할 수 있다.

(4) 현금을 임금으로 사원에게 지급한 경우

기업에서 월급으로 현금을 지급한 경우에는 위의 그림처럼 표현할 수 있으면, 위의 그림을 토대로 차변에 임금 ××× 대변에 현금 ×××로 분개로 회계처리 할 수 있다.

※ 주의사항
대부분의 다른 회계학 교재에서 비용에 대한 분개에서 비용발생, 비용소멸이라는 용어를 사용한다. 이 교재에서는 비용소멸 개념을 쉽게 이해하기 위하여 비용감소라는 용어로 대치하여 사용한다.

(5) 임금이 노무비로 변환하는 경우

노무비 ×××(비용발생)

회사

임금 ×××

(차) 노무비 ×××   (대) 임금 ××××

> 노무비 = 임금 + 급여 + 잡금 + 종업원상여수당
> **임금소비액 = - 전월미지급액 + 당월지급액 + 당월미지급액**

기업에서 발생한 임금들을 노무비로 변환된 것을 표현하기 위하여 임금소비액을 공식을 사용하여 계산한 후에 노무비의 비용이 발생하고 임금이 회사에서 나가는 위의 그림처럼 표현할 수 있다. 위의 그림을 토대로 계정간 대체거래를 분개하면 차변에 노무비 ××× 대변에 임금 ×××로 대체분개로 표현할 수 있다.

(6) 노무비가 소비되면서 재공품을 만들거나 제조간접비로 전환하는 경우

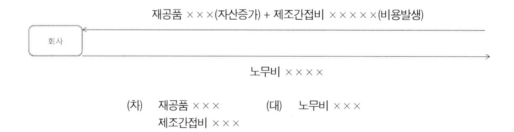

재공품 ×××(자산증가) + 제조간접비 ×××××(비용발생)

회사

노무비 ××××

(차) 재공품 ×××   (대) 노무비 ×××
     제조간접비 ×××

기업에서 발생한 노무비를 재공품이나 제조간접비로 변환된 것을 표현하기 위하여 위의 그림처럼 표현할 수 있다. 위의 그림을 토대로 계정간 대체거래를 분개하면 차변계정과목에 재공품과 제조간접비로 대변계정과목에 노무비로 작성하면서 대체 분개를 할 수 있다.

⑺ 각종 경비를 현금으로 지급한 경우

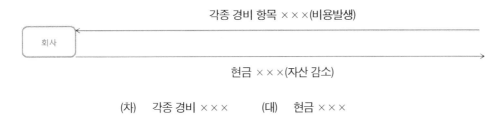

(차)   각종 경비 ×××   (대)   현금 ×××

기업에서 각종 경비를 현금으로 지급한 경우에는 위의 그림처럼 각종 경비항목이 회사에 들어오면서, 현금자산이 회사에서 나가는 것처럼 표현할 수 있다. 위의 그림을 토대로 차변에 각종 경비 ××× 대변에 현금 ×××로 분개 처리할 수 있다.

⑻ 각종 경비 항목을 제조경비나 판매관리비로 변환한 경우

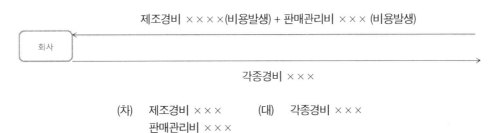

(차)   제조경비 ×××   (대)   각종경비 ×××
      판매관리비 ×××

기업의 내부거래로 각종경비 항목이 제조경비나 판매관리비로 변환되는 대체거래가 발생하면, 위의 그림처럼 표현할 수 있다. 위의 그림을 토대로 계정간 대체거래를 분개하면 차변계정과목에 제조경비와 판매관리비로 대변계정과목에 각종 경비로 작성하면서 대체 분개를 한다.

⑼ 제조경비를 재공품을 만드는데 사용하거나 제조경비를 제조간접비로 변환한 경우

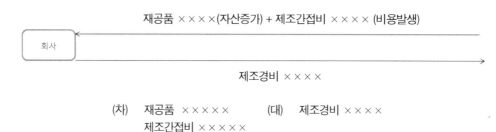

(차)	재공품 ×××××	(대)	제조경비 ××××	
	제조간접비 ×××××			

> 제조경비항목 = 감가상각비 + 화재보험료 + 임차료 + 전력비 + 가스수도료 + 잡비등
> 제조경비소비액 = 전월선급액 - 전월미지급액 + 당월지급액 + 당월미지급액 - 당월선급액

기업에서 발생한 제조경비들을 재공품이나 제조간접비로 변환된 것을 표현하기 위하여 제조경비소비액의 공식을 사용하여 계산한다. 그 후에 제조경비가 회사에서 나가고, 재공품과 제조간접비가 회사에 들어오는 것처럼 그림처럼 표현할 수 있다. 위의 그림을 토대로 계정간 대체거래를 분개하면 차변에 재공품계정과 제조간접비로 작성하고 대변에 제조경비로 대체분개로 표현한다.

⑽ 제조간접비를 제공 품에 배부한 경우(제조간접비를 사용하여 제공 품을 만드는 경우)

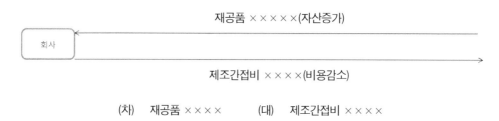

(차)	재공품 ××××	(대)	제조간접비 ××××

제조활동에서 제조간접비가 재공품으로 변환된 것을 표현하기 위하여 자산인 재공품은 회사로 들어가고 제조간접비가 회사에서 나오는 것처럼 그림으로 표현할 수 있다. 위의 그림을 토대로 계정간 대체거래를 분개하면 차변에 재공품 ×××와 대변에 제조간접비 ×××로 대체분개로 표현한다.

⑾ 재공품이 제품으로 완성되는 경우

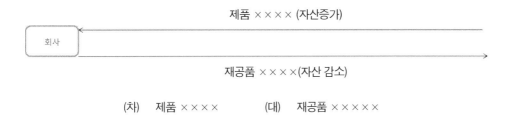

제품 ×××× (자산증가)

회사

재공품 ××××(자산 감소)

(차)　제품 ××××　　(대)　재공품 ×××××

제조활동에서 재공품이 제품으로 변환된 것을 표현하기 위하여 자산인 제품이 회사로 들어가고 재공품이 회사에서 나가는 것처럼 그림으로 표현할 수 있다. 위의 그림을 토대로 계정간 대체거래를 분개하면 차변에 제품 ×××와 대변에 재공품 ×××로 대체분개로 표현한다.

3.2 원가계산에서 대체분개의 예제문제 풀기

 3월1일 회사는 제품제조를 위해서 원재료1,000,000원치를 구입하면서 보통예금 통장에서 1,000,000원을 계좌 이체한 경우에 분개하기

풀이 자산인 원재료 1,000,000원치가 회사로 들어오면서 회사의 보통예금통장에서 1,000,000원이 나가는 거래를 그림으로 그리면 아래와 같이 표현할 수 있다. 이 표현된 그림을 분개로 표현하면 위의 항목은 차변에 원재료 1,000,000원, 대변에 보통예금 1,000,000원으로 분개로 표시할 수 있다. 이것을 분개로 표시하면 아래와 같이 표현된다.

원재료 1,000,000(자산증가)

회사

보통예금 1,000,000(자산감소)

3월1일　(차)　원재료 1,000,000　　(대)　보통예금 1,000,000

3월2일 회사는 제품제조를 위하여 구입한 원재료1,000,000원치 중에서 800,000원치를 제품제조를 위해서 생산 공정에 투입한 경우에 대하여 분개하기

풀이 창고에 보관중인 자산인 원재료 800,000원치를 제품제조를 투입하는 기업내부에서 발생한 거래를 분개하기 위해서 아래의 그림처럼, 그 상황을 그림으로 표현할 수 있다. 즉 원재료비 800,000원인 비용항목이 회사로 들어가면서 발생하고, 생산에 원재료 800,000원치가 생산에 투입되었으므로 자산인 원재료는 회사에서 나가는 것으로 그림으로 표현할 수 있다. 위의 그림을 토대로 차변에 원재료비 800,000원, 대변에 원재료 800,000원으로 대체분개로 회계 처리한다.

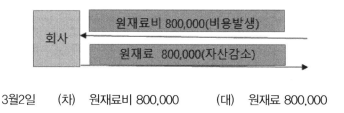

3월2일   (차) 원재료비 800,000   (대) 원재료 800,000

3월3일 회사는 제품제조를 위하여 투입한 원재료 800,000원치가 재공품으로 만들어진 경우에 대하여 분개하기

풀이 원재료 800,000원치를 제품제조에 사용되어서, 원재료비 800,000원으로 변경한 후에 재공품으로 변환하는 그 과정을 아래의 그림으로 표현할 수 있다. 즉 원재료비 800,000원인 비용항목이 회사에서 나가면서 재공품 800,000원치가 생산되면서 회사로 들어오는 것으로 그림으로 표현할 수 있다. 위의 그림을 토대로 차변에 재공품 800,000원, 대변에 원재료비 800,000원으로 대체분개로 회계 처리한다.

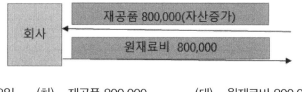

3월3일   (차) 재공품 800,000   (대) 원재료비 800,000

3월4일 회사는 제품제조에 투입한 생산직 사원에게 임금으로 2,000,000원을 보통예금통장에서 지급한 경우

풀이 사원에게 임금 2,000,000원을 보통예금통장에서 지급하는 경우에 대한 분개를 위해서 회사의 보통예금통장에서 2,000,000원이 나가고, 비용인 임금 2,000,000원이 발생하는 것으로 아래의 그림처럼 그릴 수 있다. 이 그림을 토대로 분개를 하면 차변에 임금 2,000,000원이고 대변에 보통예금 2,000,000원으로 분개를 할 수 있다.

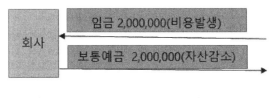

3월4일   (차) 임금 2,000,000원   (대) 보통예금 2,000,000원

 3월5일 회사는 제품제조에 투입한 생산직 사원에게 임금으로 지급한 2,000,000원을 노무비로 처리하는 경우(대체 분개)

풀이 생산직 사원에게 임금 2,000,000원을 지급한 것을 노무비로 대체분개한 경우는 아래의 그림처럼, 회사로 비용인 노무비 2,000,000원이 발생하고, 임금은 회사에서 나가는 형태로 나타낼 수 있다. 이 그림을 토대로 분개를 하면 차변에 노무비 2,000,000원이고 대변에 임금 2,000,000원으로 분개를 할 수 있다.

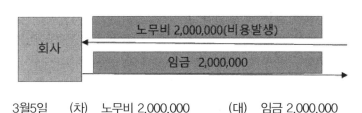

3월5일   (차) 노무비 2,000,000   (대) 임금 2,000,000

3월6일 회사는 제품제조에 투입한 생산직 사원에게 임금으로 지급한 2,000,000원을 노무비를 통하여 재공품이 만들어진 경우 (대체 분개)

풀이 생산직 사원에게 임금 2,000,000원을 지급한 것을 노무비로 대체 분개하고 난후에 재공품이 만들어 진 것은, 아래 그림처럼, 회사로 자산인 재공품 2,000,000이 회사로 들어오고, 비용인 노무비 2,000,000원이 회사에서 나가는 형태로 나타낼 수 있다. 이 그림을 토대로 대체 분개를 하면 차변에 재공품 2,000,000원이고 대변에 노무비 2,000,000원으로 분개를 할 수 있다.

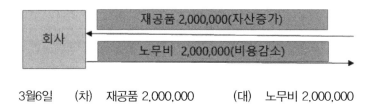

3월6일　　(차)　재공품 2,000,000　　　(대)　노무비 2,000,000

3월10일 회사는 이번 달에 동력비 20,000과 보험료 15,000원이 발생하여 보통예금통장에서 지급한 경우

풀이 회사에 비용인 동력비 20,000원과 보험료가 발생하여, 회사로 들어가는 것으로 표현할 수 있다. 발생된 비용을 보통예금계좌에서 지급하면, 아래의 그림처럼 나타낼 수 있다.이 그림을 토대로 분개하면, 차변에 동력비 20,000원, 보험료 15,000원과 대변에 보통예금 35,000원으로 분개를 할 수 있다.

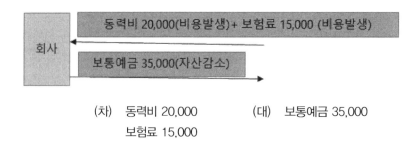

　　　　(차)　동력비 20,000　　　(대)　보통예금 35,000
　　　　　　　보험료 15,000

3월30일 회사는 이번 달에 동력비 20,000과 보험료 15,000원이 발생한 것을 제조간접비로 대체분개한 경우

풀이 위의 문제에서 분개 처리한 동력비와 보험료를 제조간접비로 대체 분개하는 경우는 아래의 그림처럼 나타낼 수 있다. 회사로 비용인 제조간접비 35,000원이 들어가면서, 회사에서 동력비 20,000원과 보험료 15,000원이 나가는 것으로 나타낼 수 있다. 이 그림을 토대로 분개로 나타내면 차변에 제조간접비 35,000원, 대변에 동력비 20,000과 보험료 15,000원으로 나타낼 수 있다.

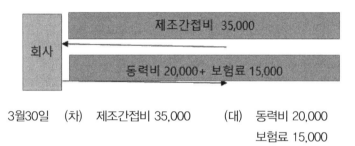

3월30일	(차)	제조간접비 35,000	(대)	동력비 20,000
				보험료 15,000

4월1일 이번 달에 동력비 20,000과 보험료 15,000원이 발생한 것을 제조간접비로 처리한 것을 재공품에 배부하는 경우에 대체 분개

풀이 동력비와 보험료로 발생한 것이 제조간접비로 대체분개한 후에 다시 재공품으로 대체되는 경우에 대하여 회사로 재공품 35,000원이 들어가고 제조간접비 35,000원이 회사에서 나오는 형태로 그림을 그릴 수 있다. 이렇게 그려진 그림을 토대로 분개하면, 차변에 재공품 35,000원, 대변에 제조간접비 35,000원으로 분개할 수 있다.

4월1일	(차)	재공품 35,000	(대)	제조간접비 35,000

4월2일 지난달의 재공품 35,000원이 제품 35,000원으로 전환된 경우에 대한 대체분개하기

풀이 재공품 35,000원이 제품으로 변환하는 것은 회사로 제품이 들어오면서, 재공품이 회사에서 나가는 것으로 그림으로 그릴 수 있다. 이 그림을 토대로 차변에 제품 35,000원, 대변에 재공품 35,000원으로 나타낼 수 있다.

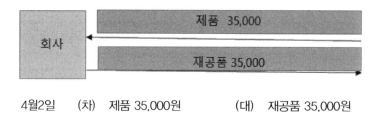

4월2일   (차)   제품 35,000원   (대)   재공품 35,000원

4절 ▶ 제조원가 명세서

4.1 제조원가 명세서란?

개별원가를 계산하는 제조기업에서 제조원가의 흐름을 파악하고 재무제표를 작성하기 위하여 부속명세서인 제조원가 명세서를 작성한다. 제조원가 명세서는 특정기간의 제조활동에 관련하여 발생한 모든 원가를 요약한 보고서이다. 제조기업에서는 손익계산서를 작성하기 전에 반듯이 제조원가 명세서를 작성하여 당기제품 제조원가를 손익계산서에 반영하여야 한다. 제조원가 명세서의 양식은 아래와 같은 양식을 사용하여 작성한다.

제조원가명세서

20×1년1월1일부터 20×1년6월31일까지

㈜안산전자

과목	금액	
I. 재료비		
1. 기초재료 재고액	× × ×	
2. 당기재료 매입액	× × ×	
계	× × ×	
3. 기말재료 재고액	(× × ×)	× × ×
II. 노무비		
1. 임금	× × ×	
2. 급여	× × ×	
3. 퇴직급여	× × ×	× × ×
III. 경비		
1. 전기료	× × ×	
2. 가스료	× × ×	
3. 세금과공과	× × ×	
4. 감가상각	× × ×	
5. 보험료	× × ×	× × ×
IV. 당기총제조원가		× × ×
V. 기초재공품재고액		× × ×
V. 합계		× × ×
VII. 기말재공품재고액		(× × ×)
VIII. 당기제품제조원가		× × ×

다음의 제조원가명세서에 빈칸을 채우시오.

과목		금액
I. 재료비		200,000
1. 기초재료 재고액	60,000	
2. 당기재료 매입액	300,000	
계	360,000	
3. 기말재료 재고액	( )	
II. 노무비		100,000
1. 임금	100,000	
2. 급여	-	
3. 퇴직급여	-	
III. 경비		( )
1. 전기료	40,000	
2. 감가상각비	40,000	
3. 수선비	60,000	
IV. 당기총제조원가		( )
V. 기초재공품재고액		40,000
V. 합계		( )
VII. 기말재공품재고액		(20,000)
VIII. 당기제품제조원가		( )

풀이 앞에서 배운 제조원가명세서를 계산하는 공식을 사용하여 위의 문제를 푼다.

당기원재료소비액 = 기초원재료 재고액 60,000 + 당기 원재료 매입액300,000 - 기말 원재료 재고액 = 200,000

기말원재료 재고액 = 360,000 - 200,000 = 160,000

제조간접비 = 전기료 40,000 + 감가상각비 40,000 + 수선비 60,000 = 140,000

당기총제조원가 = 직접재료비200,000 + 직접노무비100,000 + 제조간접비 140,000 = 440,000

당기제품제조원가 = 기초재공품재고액40,000 + 당기총제조원가440,000 - 기말재공품재고액 20,000 = 460,000

1. 금돌이가 1월에 발생한 제조간접비 40,000원을 제품제조에 배부하는 분개로 옳은 것은?

① (차)제조간접비 40,000원   (대)재공품 40,000원

② (차)재공품 40,000원   (대)제조간접비 40,000원

③ (차)매출원가 40,000원   (대)제조간접비 40,000원

④ (차) 판매비 40,000원   (대)제조간접비 40,000원

풀이

재공품 40,000

회사

제조간접비 40,000

(차)   재공품 40,000   (대)   제조간접비 40,000

2. ㈜ 안산주식회사의 다음 자료에 의하면 당기제품제조원가는 얼마인가?

기초재공품재고액 4,000 원	기말재공품재고액 4,200원
기초제품재고액 6,000 원	기말제품재고액 5,000원
당기총제조비용 200,000원	

① 248,000원   ② 188,000원

③ 208,000원   ④ 199,800원

풀이 당기제품제조원가 = 기초재공품재고액4,000 + 당기총제조원가200,000 − 기말재공품재고액
4,200 = 199,800

3. 안산전자에서 당기에 기말 재공품이 기초재공품보다 더 크게 증가하였다면 어떤 현상이 일어날까?

① 당기에 판매관리비가 매출원가보다 더 클 것이다.

② 당기에 제조간접비가 매출원가보다 더 클 것이다.

③ 당기제품제조원가는 당기총제조비용보다 작아진다.

④ 당기제품제조원가는 당기총제조비용보다 더 클 것이다.

풀이 위에서 배운 공식을 사용하여, 풀어보면

당기제품제조원가 = 기초재공품재고액 + 당기총제조원가 - 기말재공품재고액

기말재공품재고액이 기초재공품재고액 보다 크면, (기초재공품재고액 - 기말재공품재고액)의 값이 마이너스가 나와서 당기 제품제조원가는 당기 총제조원가보다 작아진다. 즉 당기 총제조원가가 당기제품제조원가보다 커진다.

매출원가 = 기초제품 재고액 + 당기제품제조원가 - 기말제품 재고액

4. 제조원가명세서를 작성하기 위하여 사용되는 원가요소의 분류는?

① 재료비, 간접비, 재공품, 판매관리비   ② 재료비, 재공품, 노무비, 변동비, 간접비

③ 재료비, 노무비, 제조간접비, 재공품   ④ 고정비, 변동비, 직접비

풀이 제조원가 명서를 작성하기 위하여 사용되는 공식은

> 당기총제조원가 = 직접재료비 + 직접노무비 + 제조간접비
> 당기제품제조원가 = 기초재공품재고액 + 당기총제조원가 - 기말재공품재고액

당기총제조원가의 계산에서는 직접재료비, 직접노무비, 제조간접비를 사용하여 계산하고, 당기제품제조원가를 계산하는 경우에는 기초재공품, 기말재공품, 당기총제조원가를 사용하여 제조원가 명세서를 작성한다.

5. 금돌이가 개별원가계산 방식에서 제조원가를 집계하여 제품에 할당하기를 원하고 있다. 다음의 예에서 제조원가흐름을 가장 잘 나타낸 것은?

① 구매비 → 재료비 → 제품 → 매출원가

② 재료비 → 재공품 → 제품 → 매출원가

③ 판매관리비 → 노무비 → 매출원가 → 제품

④ 노무비 → 재료비 → 제품 → 재공품

풀이 재료비를 투입하여 중간에 재공품을 만들고 제품을 만들면서 제품의 제조원가를 계산하고 매출원가를 계산하고서 제품을 판매한다.

6. 다음 자료에 의하여 안산전자의 직접재료비, 당기총제조원가, 당기제품제조원가를 계산하면 얼마인가?

(단위: 원)

구분	기초	기말
원재료	30,000	24,000
재공품	56,000	60,000

> 당기 원재료매입액 = 92,000원, 당기노무비 = 56,000원, 당기 제조간접비 = 70,000원

① 직접재료비 : 98,000원 당기총제조원가 : 224,000원 당기제품제조원가: 220,000원
② 직접재료비 : 99,000원 당기총제조원가 : 222,000원 당기제품제조원가: 220,000원
③ 직접재료비 : 98,000원 당기총제조원가 : 223,000원 당기제품제조원가: 217,000원
④ 직접재료비 : 99,000원 당기총제조원가 : 221,000원 당기제품제조원가: 227,000원

풀이 직접재료비 = 기초원재료재고액30,000 + 당기원재료매입액92,000 - 기말원재료재고액24,000
= 98,000
당기총제조원가 = 직접재료비98,000 + 직접노무비56,000 + 제조간접비70,000 = 224,000
당기제품제조원가 = 기초재공품재고액56,000 + 당기총제조원가224,000-기말재공품재고액
60,000 = 220,000

7. 다음 자료에 의하여 안산전자의 당기제품제조원가와 매출원가는 얼마인가?

구분	기초	기말
재공품	30,000원	50,000원
제품	20,000원	40,000원
당기총제조비용 = 200,000원		

① 당기제품제조원가: 190,000원,   매출원가 :170,000원
② 당기제품제조원가: 180,000원,   매출원가 :160,000원
③ 당기제품제조원가: 200,000원,   매출원가 :170,000원
④ 당기제품제조원가: 210,000원,   매출원가 :160,000원

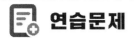

8. 다음 자료에 의하여 안산전자의 직접재료비, 기말제품 재고액, 당기총조원가, 당기제품 제조
원가는 얼마인가?

구분	기초	기말
원재료	10,000원	10,000원
재공품	20,000원	10,000원
제품	20,000원	?

구분	발생금액
당기원재료 매입액	30,000원
제조간접비	10,000원
직접노무비	20,000원
당기매출원가	80,000원

直접재료비(　), 기말제품 재고액(　), 당기총제조원가(　), 당기제품제조원가(　)

풀이 직접재료비 = 기초원재료 재고액10,000 + 당기원재료 매입액30,000 - 기말원재료 재고액
10,000 = 30,000

당기총제조원가 = 직접재료비30,000 + 직접노무비20,000 + 제조간접비10,000 = 60,000

당기제품제조원가 = 기초재공품재고액20,000 + 당기총제조원가60,000 - 기말재공품재고액
10,000 = 70,000

매출원가 80,000 = 기초제품 재고액20,000 + 당기제품제조원가70,000 - 기말제품 재고액 =
20,000 + 70,000 - 기말제품 재고액

기말제품 재고액 = 10,000

9. 다음 자료에 의하여 안산전자의 기초재공품재고액과 당기제품제조원가는 얼마인가?

구분	기초	기말
재공품	?	50,000원
제품	20,000원	40,000원

구분	발생금액
당기총제조원가	200,000원
매출원가	160,000원

① 기초재공품재고액: 50,000 당기제품제조원가 : 180,000
② 기초재공품재고액: 40,000 당기제품제조원가 : 190,000
③ 기초재공품재고액: 30,000 당기제품제조원가 : 180,000
④ 기초재공품재고액: 60,000 당기제품제조원가 : 190,000

> **풀이** 매출원가 160,000 = 기초제품 재고액20,000 + 당기제품제조원가 - 기말제품 재고액40,000
> 160,000 = 20,000 + 당기제품제조원가 - 40,000
> 당기제품제조원가 = 180,000
> 당기제품원가 = 기초재공품재고액 + 당기총제조원가200,000 - 기말재공품재고액50,000 =
> 180,000 = 기초재공품재고액 + 200,000 - 50,000
> 기초재공품재고액 = 30,000

10. 다음 자료에 의하여 안산전자의 당기제품제조원가, 매출원가는 얼마인가?

구분	기초	기말
재공품	30,000원	40,000원
제품	60,000원	70,000원

구분	발생금액
당기총제조원가	160,000원

① 당기제품제조원가 : 130,000원, 매출원가 : 140,000원
② 당기제품제조원가 : 140,000원, 매출원가 : 150,000원
③ 당기제품제조원가 : 150,000원, 매출원가 : 160,000원
④ 당기제품제조원가 : 150,000원, 매출원가 : 140,000원

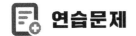

> **풀이** 당기제품제조원가 = 기초재공품재고액30,000 + 당기총제조원가160,000 – 기말재공품재고액
> 40,000 = 150,000
> 매출원가 = 기초제품 재고액60,000 + 당기제품제조원가150,000 – 기말제품 재고액70,000 =
> 140,000

11. 금돌이가 올해에 안산전자의 제조원가명세서를 작성하면서 , 당기에 발생한 제품제조원가를 산
출하였다. 이 값은 손익계산서의 어느 항목에 영향을 주는가?

① 매출원가　　　　　　　　　　　　　② 매출액

③ 판매비와관리비　　　　　　　　　　④ 영업외 비용

> **풀이** 당기제품제조원가 = 기초재공품재고액 + 당기총제조원가 – 기말재공품재고액
> 매출원가 = 기초제품 재고액 + 당기제품제조원가 – 기말제품 재고액
> 제품제조원가는 매출원가에 영향을 미친다.

12. 다음은 ㈜안산전자의 원가자료이다. 이 자료를 사용하여 당기총제조비용을 계산하면 얼마인가?

항목	발생된 금액
직접재료비	160,000원
직접노무비	150,000원
제조간접비	직접재료비의 50%
판매관리비	40,000원

① 380,000원　　　　　　　　　　　　② 390,000원

③ 400,000원　　　　　　　　　　　　④ 410,000원

> **풀이** 제조간접비 = 직접재료비의 50% = 160,000 * 0.5 = 80,000
> 당기총제조원가(당기총제조비용) = 직접재료비160,000 + 직접노무비150,000 + 제조간접비
> 80,000 = 390,000

13. 다음은 안산전자의 원가자료이다. 직접노무비를 구하시오?

항목	발생된 금액
기초재공품	0
기말재공품	0
직접재료비	20,000원
제조간접비	10,000원
제조원가	40,000원
판매관리비	10,000원

① 10,000원   ② 15,000원
③ 20,000원   ④ 25,000원

풀이 당기총제조원가(당기총제조비용)40,000 = 직접재료비20,000 + 직접노무비 + 제조간접비
10,000
40,000 = 20,000 + 직접노무비 + 10,000 , 직접노무비 = 10,000

14. 다음은 안산전자의 원가자료이다. 이 자료를 사용하여 당기총제조비용을 계산하면 얼마인가?

항목	발생된 금액
직접재료비	10,000원
직접노무비	6,000원
제조간접비	4,000원
기초재공품재고액	1,000원
기말재공품재고액	1,400원

① 10,000원   ② 20,000원
③ 30,000원   ④ 40,000원

풀이 당기총제조비용 = 직접재료비10,000 + 직접노무비6,000 + 제조간접비4,000 = 20,000

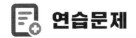 **연습문제**

15. 금돌이가 설명하는 다음의 보기에서 제조원가명세서에 나타나지 않은 것은?

① 영업비용　　　　　　　　　② 재료비

③ 노무비　　　　　　　　　　④ 기초공품재고액

> **풀이** 당기총제조원가 = 직접재료비 + 직접노무비 + 제조간접비
>
> 당기제품제조원가 = 기초재공품재고액 + 당기총제조원가 - 기말재공품재고액
>
> 매출원가는 제조원가명세서에 나타나지 않고, 손익계산서상에 나타난다.
>
> 매출원가 = 기초제품 재고액 + 당기제품제조원가 - 기말제품 재고액

16. 금돌이가 설명하는 다음의 보기에서 제조원가를 계산하면서 재공품 계정을 분개할 때 사용되는
계정과목이 아닌 것은?

① 판매비　　　　　　　　　　② 직접재료비

③ 직접노무비　　　　　　　　④ 제조간접비

> **풀이** 제품과 제공품은 직접재료비 , 직접노무비, 제조간접비를 사용하여 만들어짐

17. 다음은 안산전자의 원가 자료이다. 이 자료를 사용하여 당기제품제조원가와 매출원가를 구하시
오?

구분	기초	기말
재공품	20,000원	40,000원
제품	30,000원	50,000원
당기총 제조원가 : 240,000원		

① 당기제품제조원가: 200,000원, 매출원가 200,000원

② 당기제품제조원가: 210,000원, 매출원가 210,000원

③ 당기제품제조원가: 220,000원, 매출원가 200,000원

④ 당기제품제조원가: 220,000원, 매출원가 210,000원

> **풀이** 당기제품제조원가 = 기초재공품재고액 20,000 + 당기총제조원가240,000 - 기말재공품재고액
> 40,000 = 220,000
>
> 매출원가 = 기초제품 재고액30,000 + 당기제품제조원가220,000 - 기말제품 재고액 50,000 =
> 200,000

18. 다음은 안산전자의 원가자료이다. 이 자료를 사용하여 당기총제조원가를 구하면 얼마인가?

항목	발생된 금액
기본원가	150,000원
가공원가	104,000원
제조간접비	40,000원

① 180,000원 　　　　　　　　② 190,000원
③ 200,000원 　　　　　　　　④ 210,000원

풀이 기본원가 = 직접재료비 + 직접노무비 = 150,000원
가공원가 = 직접노무비 + 제조간접비 = 104,000원
당기총제조원가 = (직접재료비 + 직접노무비) + 제조간접비 = 150,000 + 40,000 = 190,000원

19. 안산 제조기업에서 개별원가계산제도를 사용하여 제조원가를 계산하고 있다. 다음 보기에서 당기제품제조원가를 계산하기 위하여 작성하는 부속명세서는?

① 손익계산서 　　　　　　　　② 제조원가명세서
③ 현금 흐름표 　　　　　　　　④ 자본 변동표

풀이 제조기업에서 당기제품제조원가를 계산하기 위하여 제조원가명세서를 작성한다.

20. 안산 제조회사는 올해에 발생한 홍수로 회계장부가 손상되어서 아래의 자료만 남았다. 다음 자료에 의하면 전기에 이월되었던 기초재공품원가, 당기제품제조원가는 얼마인가?

구분	기초	기말
재공품	?	400,000원
제품	1,000,000원	600,000원

구분	발생금액
당기총제조원가	2,000,000원
매출원가	2,400,000원

① 기초재공품재고액 :400,000 당기제품제조원가 :2,000,000
② 기초재공품재고액 :400,000 당기제품제조원가 :2,500,000
③ 기초재공품재고액 :410,000 당기제품제조원가 :2,000,000
④ 기초재공품재고액 :410,000 당기제품제조원가 :2,500,000

> **풀이** 매출원가 2,400,000 = 기초제품 재고액 1,000,000 + 당기제품제조원가 − 기말제품 재고액
> 600,000, 당기제품제조원가 = 2,000,000
> 당기제품제조원가2,000,000 = 기초재공품재고액 + 당기총제조원가 2,000,000 − 기말재공품재
> 고액400,000, 기초재공품재고액 = 400,000

21. 금돌이가 제조원가명세서를 작성 중에 있다. 다음의 보기에서 제조원가명세서에 나타나지 않은
것은?

① 기말원재료 재고액   ② 기말재공품재고액

③ 당기제품제조원가   ④ 기초제품 재고액

> **풀이** 당기총제조원가 = 직접재료비 + 직접노무비 + 제조간접비
> 당기제품제조원가 = 기초재공품재고액 + 당기총제조원가 − 기말재공품재고액
> 제조원가명세서는 위의 2개의 공식에 의해서 작성된다.
> 기초제품재고액과 기말제품 재고 액은 재무상태 표에 나타난다.

22. 금돌이는 회사의 원가자료를 사용하여 기말재공품원가를 계산하려고 한다. 다음의 자료를 사용
하여 당기총제조원가와 기말재공품원가를 계산하면 얼마인가?

구분	기초	기말
재공품	60,000	?

구분	발생금액
직접재료비	80,000원
직접노무비	70,000원
제조간접비	34,000원
당기제품제조원가	200,000원

① 당기총제조원가 180,000 기말재공품재고액 40,000

② 당기총제조원가 181,000 기말재공품재고액 41,000

③ 당기총제조원가 182,000 기말재공품재고액 42,000

④ 당기총제조원가 184,000 기말재공품재고액 44,000

> **풀이** 당기총제조원가 = 직접재료비80,000 + 직접노무비70,000 + 제조간접비34,000 = 184,000
> 당기제품제조원가200,000 = 기초재공품재고액60,000 + 당기총제조원가184,000 − 기말재공품
> 재고액, 기말재공품재고액 = 44,000

23. 금돌이는 회사의 다음의 자료를 사용하여 당기제품제조원가, 매출원가를 계산하려고 한다. 다음의 보기에서 옳게 계산 것은?

구분	기초	기말
재공품	40,000	60,000
제품	80,000	100,000

구분	발생금액
당기총제조비용	400,000원

① 당기제품제조원가: 380,000원   매출원가 :360,000원
② 당기제품제조원가: 390,000원   매출원가 :370,000원
③ 당기제품제조원가: 400,000원   매출원가 :380,000원
④ 당기제품제조원가: 400,000원   매출원가 :370,000원

풀이 당기제품제조원가 = 기초재공품재고액40,000 + 당기총제조원가400,000 - 기말재공품재고액60,000 = 380,000

매출원가 = 기초제품 재고액80,000 + 당기제품제조원가380,000 - 기말제품 재고액100,000 = 360,000

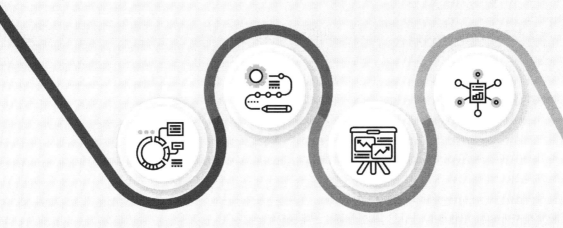

제3장
개별원가계산에서
요소별 원가계산

1절 **원가계산 절차**

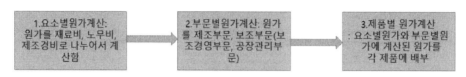

[그림 3.1] 개별원가 원가계산 절차

개별원가계산을 사용하여 원가를 계산하는 경우에는 [그림 3.1]에서 처럼 제조원가를 요소별로 나누어서 계산한다. 요소별로 원가를 분류하고 보조부문과 제조부문으로 나누어서 부문별로 원가를 계산한다. 보조부문에서 계산된 원가를 제조부문에 배분하고, 제조부문에 배분된 원가를 제품에 제조원가를 배분한다. 개별원가 계산방식으로 원가를 계산하는 방식은 아래와 같은 절차로 이루어진다.

1. 요소별 원가계산에서는 제조원가의 계산에 재료비, 노무비와 제조경비인 3가지 원가 요소로 분류하여 원가를 계산한다.

2. 부문별 원가계산에서는 요소별 원가계산에서 파악된 원가를 부문별로 분류, 집계하여 계산하는 절차이다. 보조부문에서 발생한 원가를 제조부문에 배분하여, 제조부문에서는 제조부문 내에서 발생한 원가와 보조부문에서 배분된 원가를 합하여, 그 원가를 제품에 배분한다.

3. 제품별 원가계산에서는 요소별로 얻은 원가 중에서 추적이 가능한 원가는 바로 제품에 배부한다. 간접원가와 부문별로 계산된 원가는 일정 기준에 따라 각 제품에 배부한다.

2.1 제조부문과 보조부문의 역할

개별원가계산 방식으로 제조원가를 계산하는 경우에 제조부문과 보조부문으로 나누어서 원가를 집계한다. 보조부문에서 발생한 원가를 집계하고서 제조부문에 배분한다.

[표 3.1] 제조부문의 역할

제조부문의 역할: 제조부문은 직접 제품을 제조하는 부서로, 일반적으로 제품의 종류나 제조활동의 증가로 부문의 개수는 증가할 수 있다.	
가. 주경영 부문 역할	주된 제품의 제조를 담당하는 부서로 기계제품을 제조하는 경우에는 주조부, 단조부, 선반부, 조립부등이 주경영부문을 이룰 수 있다.
나. 부경영 부문 역할	주된 제품외의 부차적인 제품을 제조하거나 가공을 담당하는 부서로서 부산물 가공이나 포장재를 제조하는 부서가 이에 해당할 수 있다.

제조부분은 [표 3.1]과 같이 직접 제품을 제조하면서, 보조부문에서 배분된 원가를 포함하여 집계하고 제조원가를 제품에 배분한다.

이에 반하여 보조부문은 [표 3.2]와 같이 직접적으로 제품을 담당하지 않지만, 제조부문에 용역을 제공하거나 공장관리 업무를 담당하는 부서를 말한다. 보조부문에서 발생한 제조간접원가는 제조부문에 배분하여, 그 제조부문에서 원가를 집계하여 다시 각 제품별로 원가를 배분하도록 한다. 이러한 작업을 수행하는 보조부문에 대한 역할을 살표보면, [표 13]과 같이 요약할 수 있다.

[표 3.2] 보조부문의 역할

2. 보조부문의 역할: 보조부문은 직접적으로 제품제조를 담당하지 않지만, 제조부문에 용역을 제공하거나 공장관리 기능을 담당하는 부서를 말한다.	
가. 보조경영 부문 역할	제조부분에 용역을 제공하는 부서로 수선부, 동력부, 운반부, 검사부 등이 해당할 수 있다.
나. 공장관리 부문 역할	공장전체의 관리기능을 담당하는 부서로 공장 사무부, 자재부, 노무관리부, 시험연구부등이 해당할 수 있다.

2.2 부문의 개별원가와 공통원가

부문에서 발생하는 원가는 특정부문에서 발생하는 개별원가와 부문공통별로 발생하는 원가로 분류할 수 있다. 이들 원가의 특성을 살표 보면 [표 3.3]과 같이 설명할 수 있다.

[표 3.3] 부문 개별원가와 부문 공통원가

부문의 개별원가와 부문 공통원가의 배부	
부문개별원가	부문 개별원가는 특정부문에서 개별적으로 발생하여 부문별로 추적이 가능한 원가이며, 해당 부문에 직접 부과하므로, 배부과정을 거치지 않는다.
부문공통원가	부문 공통원가는 각 원가 부문에 공통적으로 발생하는 원가로서 원가배분에 가장 중요하게 다루는 부분이다. 공통적으로 발생한 원가를 취합해서 정확히 제품에 원가를 배부하는 일은 매우 어려운 일이다. 원가배부 기준은 배부되는 각 부문에 공통적으로 적용할 수 있는 공통점이 있어야 하며, 부문 공통원가와 배부 기준 간에는 인과 관계가 있어야 한다.

부문 개별원가는 특정부문에서 개별적으로 발생하여 부문별로 추적이 가능한 원가이며, 해당 부문에 직접 부과하므로, 배부과정을 거치지 않는다. 이에 반하여 부문 공통원가는 각 원가 부문에 공통적으로 발생하는 원가로서 원가 배분에 가장 중요하게 다루는 부분이다. 공통적으로 발생한 원가를 취합해서 정확히 제품에 원가를 배부하는 일은 매우 어려운 일이다. 원가배부기준은 배부되는 각 부문에 공통적으로 적용할 수 있는 공통점이 있어야 하며, 부문 공통원가와 배부 기준 간에는 인과 관계가 있어야 한다. 원가회계에서 주로 공부하는 내용은 부문공통으로 발생하여 추적이 불가능한 원가를 제품에 어떻게 정확히 배분하는지에 대하여 공부한다.

제조원가계산에서 재료비, 노무비, 제조경비

3.1 제조원가계산에서 재료비

제조원가계산에서 사용되는 재료에는 제품생산에 사용되는 자산 성격인 원재료가 있고, 이것을 사용하여 제품에 투입되는 경우에 비용개념으로 변화해서, 비용개념인 재료비로 회계처리 한다. 이에 대한 내용을 요약하면 [표 3.4]에서 자세히 설명하고 있다.

[표 3.4] 재료를 자산과 비용항목으로 구분 분류한 경우

재료비 구성 요소	구성 내용
원재료 혹은 재료	화학제품이나 제품 생산을 위해서 사용되는 자산
재료비	제품제조과정에 소비되는 원가를 말함

재료비에는 직접추적이 가능한 재료비로서 제품의 주요부분을 구성하는 것을 주요재료비의 직접재료비라고 한다. 이에 반하여 제품제조에서 보조적인 역할을 하는 추적이 매우 어려운 것을 간접재료비라고 한다. 이에 대한 개념의 차이점을 살펴보면 [표 3.5]와 같이 요약 설명할 수 있다.

즉, 재료비를 구성하는 요소에는 주요재료비로 구성되거나 보조 재료비로 구성될 수 있다. 또한 부품비중에서 직접재료비로 분류되는 부품비와 간접재료비로 분류되는 소모공구기구 비품비로 분류할 수도 있다

[표 3.5] 주요재료비와 보조 재료비의 비교

주요재료비(직접재료비)	보조 재료비(간접재료비)
제품의 주요 부분을 구성하는 재료 **예** 가구회사에서 사용되는 목재, 제과회사에서 사용되는 밀가루 등	제품 제조과정에서 보조적으로 사용되는 재료 **예** 가구회사에서 사용되는 못, 의복제조회사에서 사용되는 단추

재료비중에서 직접재료비인 부품 비는 외부에서 매입하여 직접제품제조에 사용되는 재료로서 자동차회사에서 자동차 타이어가 부품 비에 해당한다고 얘기할 수 있다. 이에 반하여 소모공구기구 비품비는 간접재료비로서 제품제조과정에서 사용되는 소모성 공구로서 가격이 싸다. 이에 대한 예로는 제조기업에서 사용되는 망치, 드릴 등이 소모공구에 속한다.

3.2 재고자산 감모손실이란?

1) 정상적인 재고자산 감모손실이란 상품을 보관하는 과정에서 파손, 마모, 증발 등으로 인하여 기말에 상품 제공자에 기록된 장부상의 재고수량보다 실제재고수량이 적은 경우로서 정상적인 감모손실은 매출원가로 처리한다. 즉 재고자산 감모손실이 원가성이 있는 경우에는 제조간접비로 제조원가에 산입하여 계산한다.

2) 비정상적인 재고자산 감모손실이란 창고관리자의 파손, 자연재해, 도난, 분실로 발생한다. 비정상적인 감모손실은 재고자산 감모손실로 영업외비용으로 처리한다.

> 재고자산 감모손실액 = 장부 재고액 - 실제 재고액

3.3 재료소비량 계산방법

재료소비량 계산방법에는 계속기록 법(이동평균법)이나 실지재고조사법(평균법)을 사용하여 재료소비량을 계산한다. [표 3.6]에서 설명하는 것처럼 계속기록 법은 편의점에서 고객이 들어와서 상품을 사서 나갈 때에 상품의 바코드를 찍으면, 컴퓨터에서 자동적으로 편의점의 재고관리를 수행하는 방법과 같다. 즉, 원재료가 회사에 입고되거나 출고시마다 컴퓨터시스템에서 자동적으로 기록되면서 재고관리를 하는 시스템이다.

[표 3.6] 계속기록법과 실지재고조사법의 비교

계산방법	계산 내용	계산공식	중요도
계속기록법 (이동평균법)	원재료의 입고, 출고시마다 기록하며, 당월소비량은 장부상 출고란에 기록된 수량의 합이다	원재료 단가 = (원재료 재고액 + 원재료 매입액)/(재고수량 + 원재료 매입수량)	별7
실지 재고조사법	원재료의 재고조사를 기말에 실시한다.	원재료 단가 = (기초원재료 재고액 + 당기원재료 매입액)/(기초원재료 수량 + 당기매입수량)	별7

　계속기록 법에서 원재료 단가는 기존의 원재료 재고액에 원재료 매입액을 더한 값을 재고수량과 원재료 매입수량을 더한 값으로 나누면 원재료 단가를 구해서 원재료의 입고 시와 출고시에 계속기록해서 재고관리를 하는 시스템이다.

　이에 반하여 실지재고조사법은 원재료의 재고조사를 기말에 가서, 사람이 실지로 재고조사를 하는 것을 말한다. 실지재고사법에서 원재료 단가는 기초원재료 재고액에 당기원재료 매입액을 더한 값을 기초원재료수량에 당기매입수량을 더한 값으로 나누어서 원재료의 단가를 구한다. 위의 재고조사의 공식을 알면, 원재료 재고조사문제를 매우 쉽게 문제를 풀 수 있다.

3.4 제조원가계산에서 노무비

　노무비는 생산 공정에서 제품제조를 위하여 인간의 노동력을 소비함으로서 발생하는 원가요소로는 [표 3.7]과 같이 임금, 급료, 잡금과 종업원상여수당이 노무비에 속한다. 임금은 제조현장에서 일하는 생산직 근로자에게 지급하는 월급을 말하고, 급료는 공장관리를 하고 있는 공장장이나 제조부문의 사무직이나 관리직의 월급을 의미한다.

[표 3.7] 노무비의 종류

노무비의 종류	내용 설명
임금	생산직 근로자에게 지급하는 월급 예 작업현장 종사자에게 지급하는 기본임금, 시간외 작업수당, 야간 작업수당 등
급료	공장장, 제조부문의 사무직 , 관리직 월급
잡금	임시로 고용된 노무자에게 지급하는 보수
종업원 상여수당	작업과는 관계없이 공장 종업원에게 지급하는 상여금과 제수당을 말한다.
직접노무비	특정제품을 생산하기 위하여 투입된 생산직 근로자의 임금으로 **추적이 가능**하다. 예 작업현장 종업원의 임금
간접노무비	여러 종류의 제품을 생산하기 위하여 투입된 간접의 임금으로 **추적이 매우 어렵다.** 예 검사공, 수리공, 운반공 등의 임금

잡금은 공장에서 임시로 고용된 노무자에게 지급하는 보수로서, 소위 학생들이 공장에서 아르바이트를 하는 경우에 받은 알바 비를 잡금으로 처리한다. 회사에서 매출이 증가하여 종업원에게 상여수당을 제공하는 경우에 종업원 상여수당이 노무비에 속한다.

노무비 중에서 특정제품을 생산하기 위하여 투입된 생산직 근로자의 임금으로 **추적이 가능**하면 직접노무비로 처리한다. 이에 반하여, 여러 종류의 제품을 생산하기 위하여 투입된 간접의 임금으로 **추적이 매우 어려운 노무비는 간접노무비**로 처리한다.

3.5 제조원가계산에서 제조경비

제조경비란 제품제조를 위해서 소비된 원가 중 재료비와 노무비를 제외한 원가요소로서 제조간접비로서 회계 처리되는 원가요소를 말한다. 경비 중 외주가공비와 특허권 사용료 등의 직접제조경비를 제외한 대부분 간접비로서 제조간접비로 처리하고 있다. 제조경비의 종류를 살펴보면 [표 3.8]와 같이 요약 설명할 수 있다. 월할로 제조경비를 계산하는 경우에 당월에 발생한 당월소비액은 발생한 제조경비를 개당 개월 수로 나누어서 달월 소비액을 계산한다. 당월소비액은 당월측정량에 전원측정량을 뺀 값을 단위 당원가를 곱해서 당월소비액을 계산한다.

[표 3.8] 제조경비

제조경비 종류	내용 설명	중요도
직접제조경비	직접제조경비는 외주가공비, 기계설계비, 특허권사용료 등의 제품제조에 추적이 가능한 제조경비	별2
간접제조경비	간접제조경비는 전력비, 가스수도료, 운반비등의 제품제조에 추적이 불가능한 제조경비	별3
월할제조경비	1년 또는 6개월 단위로 발생하는 원가를 월별로 할당하여 계산하는 경비 **예** 보험료, 임차료, 감가상각비, 특허권사용료, 세금과 공과금 당월소비액 = 발생금액 / 해당 개월 수	별4
측정제조경비	계량기 등에 측정 및 검침할 수 있는 경비 **예** 전력비, 수도료, 가스료 등 당월소비 액 = (당월측정량 - 전월측정량) * 단위당원가	별4
지급제조경비	당회계기간에 지급한 금액을 그 달의 소비액으로 하는 경비 **예** 수선비, 운반비, 여비교통비, 외주가공비, 복리후생비 등	별3
발생경비	실제의 현금 지급액이 없이 발생하는 경비 **예** 재료감모손실, 공손비등 당월소비액 = 장부재고액 - (실지재고액감모손실 + 반품차손비등)	별3

4절   문제를 쉽게 풀기 위한 핵심주요공식 #1

[표 3.9] 재료비, 노무비 제조경비 핵심공식

핵심 주요 계산 공식	중요도
1. 재료비 계산공식 　　재료소비액 = 재료의 소비단가 * 재료소비량 　　직접재료비(당기원재료소비액) = 기초원재료재고액 + 당기원재료매입액 - 기말원재료재고액 　　당월원재료소비액 = 월초원재료재고액 + 당월원재료매입액 - 월말원재료재고액	별7개
2. 노무비 계산공식 　　노무비 = 임금 + 급여 + 잡금 + 종업원상여수당 　　시간급제 노무비 = 작업시간 * 작업1시간당 임률 　　성과급제노무비 = 생산량 * 제품 1단위당 임률 　　임률 = 특정부문에서 발생된 임금 / 특정부문의 총작업시간 　　임금소비액(직접노무비) = 전월 선급액 + - 전월미지급액 + 당월지급액 + 당월미지급액 - 당월선급액	별7개
3. 제조경비(제조간접비) 계산공식 　　제조경비항목 = 감가상각비 + 화재보험료 + 임차료 + 전력비 + 가스수도료 + 잡비 등 　　제조경비(제조간접비) 소비액 = 전월선급액 - 전월미지급액 + 당월지급액 + 당월미지급액 - 당월선급액	별7개

　　제조원가를 계산하기 위하여 재료비, 노무비, 제조경비를 계산한다. 이 경우에 문제를 풀기위한 핵심주요공식은 [표 3.9]를 참조하여 이에 대한 문제를 풀면 쉽게 문제를 풀 수 있다. 재료소비액은 재료의 소비단가에 재료소비량을 곱해서 구한다. 직접재료비 혹은 당기원재료소비액은 기초원재료 재고액에 당기원재료 매입액을 더하고 기말원재료 재고액을 빼서 계산한다. 이와 비슷한 개념인 당월 원재료 소비액은 월초 원재료재고액에 당월 원재료 매입액을 더한 값에 월말 원재료 재고액을 뺀 값으로 계산한다. 노무비의 계산에서는 시간당 임금을 의미하는 임율을 계산하고, 그값에 작업시간을 곱해서 노무비를 계산한다. 임금소비액 혹은 직접노무비는 전월 선급액에 전월미지급액을 빼고 당월지급액과 당월미지급액을 더하고 당월 선급액을 빼서 계산한다. 제조간접비인 제조경비는 전월 선급액을 더하고 전월 미지급액을 빼서 계산한다. 당월지급액과 당월 미지급액을 더하고 당월 선급액을 빼서 제조간접비 소비액을 계산한다.

5절 > 분개하기

■ 현금을 주고 원재료를 구입한 경우에 분개하기

현금이 회사에서 나가면서 원재료가 회사로 들어오는 형태로 그림을 그릴 수 있다. 이 그림을 토대로 회사로 들어오는 첫 번째 화살표의 내용은 차변에 작성하고 회사에서 나가는 두 번째 화살표의 내용은 대변에 작성하면 아래와 같이 분개가 작성된다.

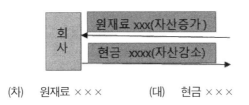

(차)   원재료 ×××   (대)   현금 ×××

■ 원재료를 사용하여 재공품을 만드는 경우에 분개하기

원재료가 생산에 투입되어서 재공품으로 변환되어서 만들어지는 상황을 그림으로 나타내면, 아래와 같이 그림을 그릴 수 있다. 즉, 원재료는 회사에서 나가고, 재공품이 회사로 들어오는 것으로 그림을 그릴 수 있다. 이 그림을 토대로 회사로 들어오는 첫 번째 화살표의 내용은 차변에 작성하고 회사에서 나가는 두 번째 화살표의 내용은 대변에 작성하면 아래와 같이 분개가 작성된다.

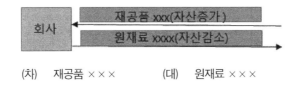

(차)   재공품 ×××   (대)   원재료 ×××

■ 정상적인 재고자산 감모손실이 발생한 경우에 매출원가에 대하여 분개하기

재고자산 감모손실액 = 장부재고액 - 실제재고액

정상적인 재고자산 감모손실이 발생하면, 회사에서 재고자산 감모손실 만큼이 원재료가 나가는 것으로 그림으로 표현할 수 있다. 재고자산 감모손실이 매출원가에 쌓이도록 대체 분개를 위해서 그림을 그리면, 회사로 매출원가가 들어오는 형태로 그림을 그리며, 재고자산 손실은 회사에서 나가는 형태로 그림을 그릴 수 있다.

이 그림을 토대로 회사로 들어오는 첫 번째 화살표의 내용은 차변에 작성하고 회사에서 나가는 두 번째 화살표의 내용은 대변에 작성하면 아래와 같이 분개가 작성된다.

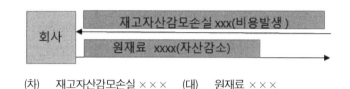

(차)   재고자산감모손실 ×××   (대)   원재료 ×××

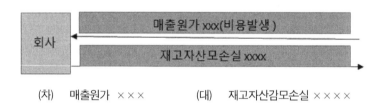

(차)   매출원가 ×××   (대)   재고자산감모손실 ××××

■ 비정상정상적인 재고자산 감모손실이 발생한 경우에 영업외비용으로 분개하기

재고자산 감모손실액 = 장부재고액 - 실제재고액

비정상적인 재고자산 감모손실이 발생하는 경우에는 영업외비용으로 처리한다. 비정상적인 재고자산 감모손실이 발생하면, 회사에서 재고자산 감모손실 만큼이 원재료가 나가는 것으로 그림으로 표현할 수 있다.

이 그림을 토대로 회사로 들어오는 첫 번째 화살표의 내용은 차변에 작성하고 회사에서 나가는 두 번째 화살표의 내용은 대변에 작성하면 아래와 같이 분개가 작성된다.

(차)   재고자산 감모손실 ×××   (대)   원재료 ×××

■ **노무비가 발생하여 현금으로 지급하는 경우에 분개하기**

노무비가 발생하여 현금으로 나가는 거래를 그림으로 나타내면, 아래의 그림과 같이 현금이 회사에서 나가고, 노무비가 회사에 발생하여 아래와 같은 그림으로 나타낼 수 있다.

이 그림을 토대로 회사로 들어오는 첫 번째 화살표의 내용은 차변에 작성하고 회사에서 나가는 두 번째 화살표의 내용은 대변에 작성하면 아래와 같이 분개가 작성된다.

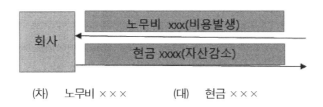

(차) 노무비 ×××   (대) 현금 ×××

■ **재공품을 만들면서 노무비를 사용하는 경우에 분개하기**

재공품을 만들면서 노무비를 사용하는 경우를 그림으로 나타내면, 아래의 그림과 같이 노무비가 회사에서 나가고, 재공품이 회사로 들어오는 것처럼, 아래와 같은 그림으로 나타낼 수 있다.

이 그림을 토대로 회사로 들어오는 첫 번째 화살표의 내용은 차변에 작성하고 회사에서 나가는 두 번째 화살표의 내용은 대변에 작성하면 아래와 같이 분개가 작성된다.

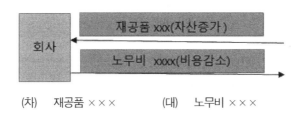

(차) 재공품 ×××   (대) 노무비 ×××

※ 다른 회계 교재에서는 비용의 회계처리에서 '비용소멸'이라는 용어를 사용하나 이해를 쉽게 하기 위하여 '비용감소'라는 용어로 대치하여 사용함.

■ **제조경비가 발생하여 현금으로 처리한 경우에 분개하기**

제조경비가 발생하여 현금으로 나가는 거래를 그림으로 나타내면, 아래와 같이 현금
이 회사에서 나가고, 제조경비가 회사에 발생하여 아래와 같은 그림으로 나타낼 수 있
다. 발생한 제조경비를 제조간접비로 대체하는 경우에도, 제조간접비가 회사로 들어오
고, 발생한 제조경비가 회사에서 나가는 형태로 아래와 같은 그림으로 나타낼 수 있다.

이 그림을 토대로 회사로 들어오는 첫 번째 화살표의 내용은 차변에 작성하고 회사에
서 나가는 두 번째 화살표의 내용은 대변에 작성하면 아래와 같이 분개가 작성된다.

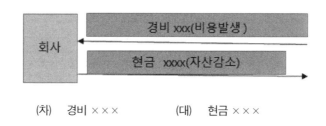

(차)   경비 ×××   (대)   현금 ×××

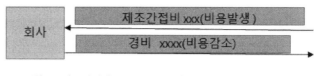

(차)   제조간접비 ×××   (대)   경비 ×××

 **연습문제**

1. 금돌이는 안산제조회사의 다음 자료를 사용하여 당월의 제품제조에 소요된 원재료소비액을 계산하고 있다. 옳은 것을 고르시오?

항목	발생한 금액
월초 원재료 재고액	4,000원
당월 원재료 매입액	84,000원
월말 원재료 재고액	8,000원

① 70,000   ② 80,000

③ 90,000   ④ 10,000

풀이 당기원재료소비액 = 기초원재료재고액4,000 + 당기원재료매입액84,000 - 기말원재료재고액 8,000 = 80,000원

2. 금돌이는 안산제조회사의 당월 임금지급액이 20,000원, 전월 임금미지급액이 4,000원인 경우에 제조비용에 포함될 당월임금소비액을 얼마인지 고르시오?

① 10,000원   ② 11,000원

③ 16,000원   ④ 13,000원

풀이 당월임금소비액 = 전월선급액 - 전월미지급액4,000 + 당월지급액20,000 + 당월미지급액 - 당월선급액 = 16,000원

3. 금돌이는 안산제조회사에서 직접재료비 40,000원을 재공품을 통해서 제품제조에 배부하는 회계처리를 하려고 한다. 이것에 대한 분개하려고 하는데 맞는 분개를 고르면?

① 차)재공품 40,000   대)직접재료비 40,000

② 차)재공품 40,000   대)제조간접비 40,000

③ 차)제조간접비 40,000   대)재공품 40,000

④ 차)재공품 40,000   대)제품 40,000

4. 금돌이는 안산제조회사에서 원가의 발생형태에 따라서 요소별 원가계산방식에 따라서 제품의 원가를 계산하기를 원하고 있다. 요소별 원가계산방식에 속하지 않은 것은?

① 직접 재료비계산하기   ② 매출원가계산하기

③ 제조간접비계산하기   ④ 직접 노무비계산하기

> **풀이** 요소별 제조원가계산은 원가를 직접재료비, 직접노무비, 제조간접비로 나누어서 계산한다. 당기총제조원가 = 직접재료비 + 직접노무비 + 제조간접비로 당기총제조원가를 계산한다. 매출원가계산은 제품을 손익계산서에서 계산한다.

5. 금돌이는 안산제조회사에서 제품제조에 소비된 인건비를 원가요소로 분류하여 회계 처리 하려고 한다. 인건비를 원가요소의 무엇으로 분류하여 회계처리 해야 하는가?

① 직접재료비   ② 노무비

③ 제조간접비   ④ 판매관리비

> **풀이** 원가요소로 분류는 직접재료비, 직접노무비, 제조간접비로 나누어서 회계처리 하는 것이다. 인건비는 노무비에 속한다.

6. 금돌이는 안산 제조회사에서 당기 재료매입액이 6,000원이다. 기말의 재료재고액이 기초의 재고액에 비하여 1,000원이 감소하였다면, 재공품으로 대체될 당기의 재료원가는 얼마인가?

① 5,000   ② 6,000

③ 7,000   ④ 8,000

> **풀이** 직접재료비 = 기초원재료재고액 + 당기원재료매입액 − 기말원재료재고액
> 직접재료비 = 기초원재료재고액 + 6,000 − (기초원재료재고액 −1,000) = 7,000원

7. 금돌이는 안산제조회사의 다음 자료에 의해서 당월노무비 소비액을 계산하고 있다. 옳게 계산한 것은 얼마인가?

> 임금전월미지급액: 10,000원   임금당월지급액 : 100,000원   임금당월미지급액 : 14,000원

① 101,000   ② 102,000

③ 103,000   ④ 104,000

> **풀이** 임금소비액 = 전월선급액 − 전월미지급액 10,000 + 당월지급액100,000 + 당월미지급액14,000
> − 당월선급액 = 104,000원

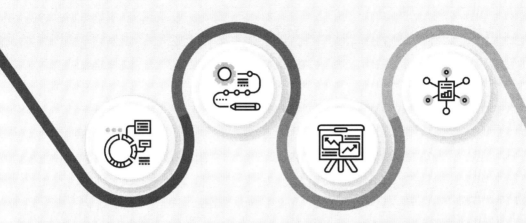

제4장
개별원가계산에서
부문별 원가계산

1절 ▶ 원가계산제도

1.1 생산방식에 따라서 분류된 원가계산제도

생산방식에 따라서 원가계산을 개별원가계산방식과 종합원가계산방식으로 분류할 수 있다. 이 원가계산방식의 특징을 살펴보면 아래 [표 4.1]과 같이 요약설명할 수 있다. 또한 원가배분에 따라서 원가계산의 방식을 보면, 실제원가계산, 정상원가계산과 표준원가계산으로 나눌 수 있다. 이 원가계산 방식들의 특징들을 살펴보면 [표 4.2]와 같다.

[표 4.1] 생산방식에 대한 분류

구분	생산방식에 따른 분류 내용	중요도
개별원가계산	소량 주문생산제도, 개별 작업별로 원가를 계산한다. 예 항공기제조, 조선업	별7
종합원가계산	대량 연속생산형태, 제조공정별 원가를 집계하여 계산한다. 예 밀가루제조업, 제철업, 정유업, 화학공업	별7

1.2 원가배분에 따른 원가계산제도

[표 4.2] 원가계산 방식

구분	중요 핵심 원가요소	원가계산 방법 특징	중요도
실제 원가계산	실제직접재료비, 실제직접노무비, 실제제조간접비를 사용하여 원가를 계산한다.	1) 실제원가를 계산하여 재무회계와 유기적으로 결합하는 원가계산 제도이다. 2) 실제원가는 역사적 원가 또는 과거원가라고하며, 원가를 실제로 발생한 소비량과 가격에 의해서 계산하는 것을 말한다. 그러나 근래에 와서, 가격에 대해서 미리 예정된 가격에 따르고, 소비량은 실제소비량으로 계산하는 경우에도 실제원가라고 한다. 3) 실제원가계산은 외부에 보고되는 재무제표의 작성에 사용될 뿐만 아니라 표준원가계산에서도 표준원가에 대비되는 실제원가를 산정하는 것으로 중요시된다.	별 7

구분	중요 핵심 원가요소	원가계산 방법 특징	중요도
		기업실무에서 단순히 원가계산이라고 할 때는 실제원가계산을 의미한다. ㄱ) 제조간접비의 배부 : 배부방법으로는 직접재료비, 직접노무비, 직접원가법, 직접노동시간, 기계시간 등의 조업도를 기준으로 배분하는 방법이다. 기말까지 실제 발생한 원가를 합리적인 기준으로 제품에 배분한다. 제무 제표를 작성하기 위한 외부보고용으로 사용된다. 원가형태는 실제직접재료비, 실제직접노무비, 실제 제조간접비이다. 실제원가계산에 의한 제조간접원가 실제 배부율 = 실제총제조간접원가 / 실제조업도(배부기준) 제조 간접실제 배부액 = 실제배부기준량(실제조업도) * 제조간접원가 실제 배부율	
정상 원가계산	실제직접재료비, 실제직접노무비, 예정제조간접비를 사용하여 원가를 계산한다.	정상원가제도는 실제원가제도의 기말이 되어야 실제원가를 계산할 수 있는 단점을 보완하고 제품원가의 변동성을 보완하기 위하여 실제 직접재료비, 실제직접노무비, 예정 제조간접비를 사용하여 원가를 계산한다. 제조간접비는 회계연도가 시작되기 전에 아래와 같이 계산된 제조간접비를 예정배부율을 이용하여 제품에 원가를 배부한다. 과거의 경험을 토대로 연간 제조간접비 예산을 연간작업시간으로 나누어 예정배부율을 산출한 후에 실제작업시간을 곱해서 제조간접원가 예정배부율을 구한다. 정상원가계산에 의한 제조간접원가 예정배부율 = 예상총제조간접원가(제조간접원가예산) / 예상총배부기준량 (예정조업도) 제조간접원가예정 배부액 = 실제배부기준량(실제조업도) * 제조간접원가 예정배부율	별 7
표준 원가계산	표준직접재료비, 표준직접노무비, 표준제조간접비를 사용하여 원가를 계산한다.	관리적인 측면에서 사용된다. 제조기업의 과거의 통계 자료를 토대로 표준원가를 산정하여 계산한다. 원가형태로는 표준직접재료비, 표준직접노무비, 표준제조간접비 예산편성에 사용되며, 제품별로 원가를 통제하여 경영의 효율화를 이루기 위해서 사용된다.	별 7

2절 실제원가계산과 정상원가계산에서 제조간접비의 배부

실제원가계산방식에서는 제조간접원가 배부율은 실제 총 제조간접원가를 실제조업도(배부기준)으로 나누어서 계산한다. 정상원가계산방식에서는 제조간접원가 예정배부율은 예상총 제조간접원가(제조간접원가예산)을 예상 총 배부기준량(예정조업도)으로 나누어서 계산한다.

[표 4.3] 실제원가와 정상원가에서 제조간접원가 배부율과 배부액

항목	실제원가	정상원가	중요도
제조 간접원가 배부율	제조간접원가 실제배부율 = 실제 총 제조간접원가 / 실제조업도(배부기준)	제조간접원가 예정배부율 = 예상총 제조간접원가(제조간접원가예산) / 예상 총 배부기준량 (예정조업도)	별7
제조 간접원가 배부액	제조 간접 실제 배부액 = 실제배부기준량(실제조업도) * 제조간접원가 실제배부율	제조간접원가예정 배부액 = 실제배부기준량(실제조업도) * 제조간접원가 예정배부율	별7

실제 제조간접원가 배부 액을 구할 때에는 실제배부기준량(실제조업도)에 제조간접원가실제 배부율을 곱하여 계산한다. 정상원가 제조간접원가 예정 배부액을 구할 때에는 실제배부기준량(실제조업도)에 제조간접원가 예정배부율을 곱하여 계산한다. 이에 대한 자세한 내용은 [표 4.3]에 나타나 있다.

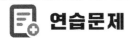

1. 금돌이가 제조간접비의 배부에 대하여 설명하고 있다. 이에 대한 설명으로 적합하지 않은 것은?

   ① 실제원가계산에서는 기말이 되어야만 제조원가를 계산할 수 있다.

   ② 실제원가계산에서는 제조간접비를 직접재료비나 직접노무비를 기준으로 배분한다.

   ③ 제조간접비의 배부는 개별원가계산과 종합원가계산에서 모두 사용한다.

   ④ 정상원가 계산에서 제조간접비의 예정 배부 액은 실제배부기준량 * 제조간접원가 예정 배부율로 계산한다.

   풀이 제조간접비의 배부는 종합원가에서 사용되지 않고 오직 개별원가계산에서만 필요하다.

2. 금돌이가 다음 ( )에 들어갈 적당한 말을 고르면 무엇인가?

> ( )이란 원가 집합에 집계된 공통원가 또는 간접원가를 합리적인 배부기준에 따라 원가 대상에 대응시키는 과정을 말한다.

   ① 원가목적   ② 원가회의

   ③ 원가배분   ④ 원가응대

   풀이 원가배분이란 집계된 공통원가 또는 간접원가를 합리적인 배부기준에 따라 원가대상에 대응시키는 과정을 말한다.

3. 금돌이는 안산전자의 다음 자료를 사용하여 제조간접비를 계산하려고 한다. 계산된 제조간접비는 얼마인가?

> 직접재료비: 50,000원   직접노무비: 96,000원
> 기계감가상각비: 3,000원   공장임차료: 60,000원
> 사무실임차료: 40,000원   판매수수료: 100,000원
> 공장전력비: 24,000원

   ① 85,000원   ② 86,000원

   ③ 87,000원   ④ 88,000원

   풀이 제조간접비 = 기계감가상각비3,000 + 공장임차료60,000 + 공장전력비24,000 = 87,000원

4. 금돌이가 다음의 보기에서 제조간접비로 처리해야하는 것은?

① 사무실임차료   ② 판매비와관리비

③ 공장전력비   ④ 직접 원재료비와 노무비

> **풀이** 공장 전력비는 제조기업에서 대부분 제조간접비로 처리함

5. 금돌이가 제조간접비에 대한 설명으로 가장 적합한 것은?

① 제조원가의 제조간접비에는 간접노무비는 포함되지만 간접재료비는 포함되지 않는다.

② 제조간접비는 직접재료비와 직접노무비를 제외한 모든 간접의 제조원가를 말한다.

③ 제조간접비에 직접재료비와 직접노무비를 포함한 모든 제조원가가 포함된다.

④ 제조원가 중에서 기본원가와 가공비를 말한다.

> **풀이** 제조간접비는 직접재료비와 직접노무비를 제외한 모든 간접의 제조원가를 말한다.

6. 금돌이가 제조간접비에 대해서 설명하고 있다. 가장 알맞은 것은?

① 제조간접비는 변동비로만 구성될 수 있다.

② 제조간접비는 직접재료비와 간접노무비를 포함한다.

③ 제조원가중에서 고정비와 기본원가를 의미한다.

④ 제조간접비는 제조원가 중에서 직접재료비와 직접노무비를 제외한 간접원가이다.

> **풀이** 제조간접비는 변동비나 고정비로 구성될 수 있다.
> 제조간접비는 간접재료비와 간접노무비를 포함한다.

7. 금돌이는 ㈜안산전자에서 정상개별원가 계산방식을 사용하여 원가를 계산하려고 한다. 다음 중에서 정상원가 제조간접원가 예정배부율을 구하는 식으로 가장 옳은 것은?

① 예상총제조간접원가(제조간접원가예산) / 예상총배부기준(예정조업도)

② 실제총제조간접원가 / 예상총배부기준(예정조업도)

③ 실제배부기준량(실제조업도) * 제조간접원가 실제배부율

④ 배부기준의 예정발생액 * 실제배부율

> **풀이** 제조간접원가예정배부율 = 예상총제조간접원가(제조간접원가예산)/예상총배부기준(예정조업도)
> 제조간접원가예정배부액 = 실제배부기준량(실제조업도) * 제조간접원가예정배부율

정답 │ **4.** ③   **5.** ②   **6.** ④   **7.** ①

8. ㈜안산조선사의 선박제조와 관련한 작업내용이다. 선박제작과 관련하여 당기 중에 발생한 원가
자료는 다음과 같다. A선박의 당기총제조원가는 얼마인가?

항목	A 선박	B선박	C 선박	합계
직접재료비	6,000원	6,000원	8,000원	20,000원
직접노무비	12,000원	8,000원	20,000원	40,000원

당기 중에 제조간접비 발생액은 32,000원이다.
회사는 직접노무비를 기준으로 제조간접비를 배부하고 있다.

① 27,000원   ② 27,400원
③ 27,600원   ④ 30,000원

풀이 당기총제조원가 = 직접재료비 + 직접노무비 + 제조간접비
직접노무비를 기준으로 제조간접비를 배부하기
실제 제조간접비 배부율 = 총제조간접비발생액 / 배부기준(조업도) = 32,000/40,000 = 0.8
A선박 제조간접비 배부 액 = 제조간접비 배부율 * 실제발생액 = 0.8 * 12,000 = 9,600
A선박의 당기총제조원가 = 직접재료비6,000 + 직접노무비12,000 + 제조간접비9,600 = 27,600

9. ㈜ 안산전자는 직접노무비를 기준으로 제조간접비를 배부한다. 다음 자료에 의하여 B제품에 배
부되어야할 제조간접비를 계산하면 얼마인가?

구분	A 제품	B 제품	합계
직접노무비	60,000원	40,000원	100,000원

제조간접비 총액 : 14,000원

① 5,000원   ② 5,200원
③ 5,400원   ④ 5,600원

풀이 직접노무비를 기준으로 제조간접비를 배부하기
제조간접비 배부율 = 총제조간접비 / 배부기준(조업도) = 14,000/100,000 = 0.14
B제조간접비 배부액 = 제조간접비배부율0.14 * B제품 직접노무비실제발생액40,000 = 5,600

10. 금돌이는 안산전자에서 개별원가계산을 사용하여 원가를 배분할 때에, 다음의 보기에서 어떤 원가배분방식을 가장 먼저 사용하도록 고려하는 것이 가장 적합할까?

① 인과관계   ② 부담능력
③ 매출기준   ④ 공정성과 공평성

> **풀이** 정확한 원가계산을 위한 원가배분의 원칙은 원가를 발생시키는 원인(원가동인)에 따라서 원가를 배분하는 인과관계를 가장 먼저 고려한다. 차선으로 부담능력기준이나 수혜기준을 고려한다. 그 다음은 공정성과 공평성기준에 입각한 다른 배부기준을 고려한다.

11. ㈜안산전자에서 사용하고 있는 개별원가계산에 대해서 가장 옳은 것은?

① 제조지시서별로 제조원가명세서를 상세히 작성하고 당기제품제조원가를 계산한다.
② 개별원가계산방식은 대량으로 제품을 생산하는 산업에 적합하며 계산이 간단하다.
③ 표준원가계산은 변동원가를 사용하여 계산하여 기말이 되어야만 제조원가를 계산할 수 있다.
④ 종합원가계산에서 작업원가 표에 의해서 개별 제품별로 원가 효율성을 통제한다.

> **풀이** 개별원가계산은 각 제조지시서별로 제조원가명세서를 상세히 기록하고 당기제품제조원가를 계산하므로 종합원가계산보다 계산이 복잡하고 많은 노력이 필요하다.

12. (주)안산전자에서 사용하고 있는 개별원가계산에서 정확한 제품의 제조원가를 계산하기 위하여 가장 어렵고 중요한 것은?

① 직접원재료비를 제품에 배부   ② 제조간접비를 제품에 배부
③ 판매관리비를 제품에 배부   ④ 당기매출총이익을 계산하기

> **풀이** 개별원가계산에서 정확한 제품원가의 산정을 위해서 제조간접비의 배부가 중요하다.

13. ㈜안산전자에서 정상원가계산으로 작업시간을 기준으로 제조간접비를 배부하고 있다. 제조지시서 #G400에 배부될 제조간접비 예정 배부 액은 얼마인가?

구분	#G300 실제작업시간	#G400 실제작업시간	총합
작업시간	60시간	120시간	180시간
연간예정제조간접비 총액 : 40,000원, 연간 예정직접작업시간 : 80시간				

① 50,000원   ② 60,000원
③ 70,000원   ④ 80,000원

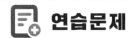

> **풀이** 정상원가계산에 의한 제조간접원가예정배부율 = 예상총제조간접원가(제조간접원가예산)40,000/
> 예상총배부기준량(예정조업도)80 = 500원/시간
> #G400제조간접원가예정 배부 액 = 제조간접원가예정배부율500 * 실제배부기준량(실제조업
> 도) 120 = 60,000원

14. ㈜ 안산전자는 실제원가계산으로 직접재료비를 기준으로 제조간접비를 배부하고 있다. 다음 자료에 의하여 S 제품에 배부되어야할 제조간접비를 계산하면 얼마인가?

구분	L제품	S제품	합계
실제 직접재료비	100,000원	80,000원	180,000원
실제제조간접비 총액 : 540,000원			

① 200,000원   ② 220,000원
③ 240,000원   ④ 260,000원

> **풀이** 제조간접비실제배부율 = 실제총제조간접비 /실제조업도(배부기준) = 540,000 /180,000 = 3
> S제품 제조간접비 배부액 = 제조간접비배부율 * 실제발생액 = 3 * 80,000 = 240,000

15. ㈜금돌항공제작사는 항공기를 제작하고 있다. 당기에 발생한 원가자료는 다음과 같다. 실제원가계산에 의한 A항공기의 당기총제조원가는 얼마인가?

	A항공기	B항공기	C항공기	합계
직접재료비	26,000	60,000	14,000	100,000원
직접노무비	32,000	68,000	40,000	140,000원

당기에 발생한 제조간접비 발생액은 50,000 원이다. 회사는 직접재료비를 기준으로 제조간접비를 배부하고 있다.

① 70,000원   ② 71,000
③ 72,000   ④ 73,000

> **풀이** 제조간접비 실제배부율 = 실제총제조간접비/배부기준(실제조업도) = 50,000/100,000 = 0.5
> A항공기 제조간접비배부액 = 제조간접비실제배부율 * 실제발생액 = 0.5 * 26,000 = 13,000
> A항공기 당기총제조원가 = 직접재료비 + 직접노무비 + 제조간접비 = 26,000 + 32,000 + 13,000 = 71,000

16. ㈜ 안산전자에서 당기에 발생한 원가자료이다. 단 제조간접비는 직접노무비의 50%로 배분하고 있다. 실제원가계산에 의한 이 회사의 당기총제조원가는 얼마인가?

구분	발생금액
직접재료비	2,000,000원
직접노무비	800,000원
제조간접비	직접노무비의 50%
판매관리비	1,000,000

① 3,000,000원   ② 3,200,000

③ 3,300,000   ④ 3,400,000

풀이 당기총제조원가 = 직접재료비2,000,000 + 직접노무비800,000 + 제조간접비400,000 = 3,200,000원

17. ㈜ 안산전자는 정상원가계산으로 직접노동시간을 기준으로 제조간접비를 배부하고 있다. 다음 자료에 의하여 제조간접비의 예정 배부액을 계산하면 얼마인가?

구분	금액
당해연도제조간접비 예산	600,000원
제조간접비실제발생액	66,000원

구분	시간
당해연도예상직접노동시간	12,000시간
당해연도직접노동시간	1,200시간

① 50,000원   ② 60,000원

③ 70,000원   ④ 80,000원

풀이 제조간접비예정배부율 = 예상총제조간접비(제조간접원가예산) /예상총배부기준량(예정조업도) = 600,000 /12,000 = 50

제조간접비 배부액 = 제조간접비배부율 * 실제발생액 = 50 * 1,200 = 60,000

18. ㈜안산전자의 당해회계 기간의 제조간접비 예정배부액 800,000이고 실제배부액은 860,000 이었다. 이때 제조간접비 배부차이를 대체한 분개한 것으로 맞는 것은 ?

① (차) 제조간접비 40,000   (대) 재공품 40,000

② (차) 제조간접비 50,000   (대)제조간접비배부차이 50,000

③ (차) 제조간접비배부차이 60,000원   (대)제조간접비 60,000

④ (차) 제품 60,000원   (대)제조간접비배부차이 60,000

> **풀이** 재조간접비배부차이 = 실제배부액 – 예정배부액 = 860,000 - 800,000 = 60,000을 부족 배부한 경우이다. 즉 실제배부액보다 예정배부액이 60,000원을 적게 배분한 경우인 과소배분한 경우에 분개하기
> (차) 제조간접비배부차이 60,000원   (대)제조간접비 60,000

3절 ▶ 부문별 원가계산

3.1 원가배분이란

원가를 원가대상(Cost Object: 원가 집적 대상)에 관련 지우는 과정을 원가 배분 혹은 원가할당이라고 한다. 원가대상은 원가를 부담할 수 있는 실체로서 제품, 서비스 , 제조부문, 보조부문, 사업부, 활동과 고객 등이 있다. 즉 원가배분이란 제조사의 공통원가인 보조부문의 원가, 제조간접원가, 감가상각비 등을 각 원가대상에 합리적으로 대응시키는 것을 말한다.

3.2 직접원가와 간접원가특성

직접원가와 간접원가의 특성을 살펴보면 다음 [표 4.4]와 같이 요약설명할 수 있다.

[표 4.4] 직접원가와 간접원가 특성

직접원가 특성	간접원가 특성	중요도
원가추적이 가능하여 원가대상에 직접 배부함 예) 직접원가인 직접재료원가와 직접노무원가는 인과관계가 높은 재료사용량, 노무시간에 의해 직접추적이 가능하여, 재료사용량이나 노무시간의 조업도에 따라서 직접원가를 제품에 배분함	원가발생에 대한 추적이 어려운 원가이다. 다수의 원가대상에 공통적으로 발생하는 원가이다. 간접원가는 원가대상을 추적할 수 없는 원가로서 여러 제품에 공통적으로 발생하는 원가이다. 예1) 공장전체 제조간접비를 배부율에 따라서 원가를 배분하여 원가대상에 원가를 배분하기 예2) 부문별로 제조간접원가를 배분하여 계산한 후에 발생된 원가를 제품에 최종 배부하기 　- 기계관련원가(감가상각비, 연료비, 유지보수비), 공장임차료와 관리비	별4

직접원가는 추적이 가능하여 아래의 그림에서처럼 제품이나 서비스에 직접 배분할
수 있으나 간접원가인 경우에는 추적이 어렵다. 간접원가인 경우에는 원가를 배분하기
위해서는 간접원가를 집계할 원가대상을 먼저 선택한다. 주요원가대상으로는 제품과
부문을 선택할 수 있다. 둘 이상의 원가대상에서 공통적으로 발생하는 제조간접비를 원
가 집합에 집계하여 계산한다. 이에 원가 집합에 원가 집계되면, 각 원가대상에 배분하
기 위하여 합리적인 원가배분기준을 결정해야한다.

원가배분기준은 원가대상과 원가 집합과의 인과관계를 반영해서 원가기준을 결정한
다. 이 배부기준에 의거하여 총제조간접원가를 배부기준으로 나누어서 간접원가배분율
을 계산한다. 원가배분유형은 보조부문원가를 제조부문에 배분하고 제조부문에 집계된
원가를 제품에 배분하도록 하며, 이와 관련된 내용은 [그림 4.1]과 같다.

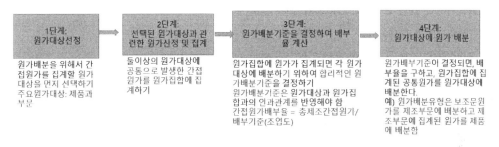

[그림 4.1] 간접원가 배분 절차

3.3 원가배분의 목적

제조회사에서 제조원가를 계산하면서 원가배분을 정확히 계산하려는 목적은 경영자
의 경제적 의사결정에 필요한 정보를 제공하는 것이다.

[표 4.5] 원가배분의 목적

항목	구체적 내용 설명	중요도
경제적 의사결정	기업의 미래계획수립 및 자원배분과 관련된 의사결정을 하기 위한 원가정보에는 의사결정과 관련된 직접적인 원가뿐만 아니라, 의사결정에 따라 영향을 받는 간접원가도 포함되어야 한다.	별2
제품가격 결정 및 제품선택 의사 결정	합리적인 원가배분을 통하여 적정가격을 설정함으로서, 제품가격의 정당성을 입증할 수 있고, 매출증대에 기여할 수 있다. 특히 정확한 제품단위당 원가를 계산하는 것은 매우 중요하다.	별2
동기부여 및 성과 평가	경영자와 종업원의 행동이 조직의 목적과 일치하도록 합리적으로 원가를 배분해야 하며, 배분된 원가는 이후 성과평가의 기준으로 활용할 수 있다.	별2
외부보고서의 작성을 위한 재고자산과 이익을 측정	기업의 순이익 측정에 영향을 미치는 재고자산의 가액과 매출원가를 정확하게 산출하여 주주. 채권자 등의 이해관계자들에게 합리적인 정보를 제공하기 위하여 원가를 배분해야한다.	별2

또한 제품가격 결정 및 제품선택 의사결정, 동기부여 및 성과평가, 외부보고서의 작성을 위한 재고자산과 이익을 측정하기 위하여 필요하다. 이에 대한 자세한 내용은 [표 4.5]와 같이 요약 설명할 수 있다.

3.4 원가배분의 기준

원가를 배분할 때에 배분의 기준으로 원가배분대상과 배분대상원가간의 인과관계가 있는 것을 가장 먼저 찾는다. 인과관계기준이 존재하지 않은 경우에는 수혜기준을 다음 차선책으로 찾고, 수혜기준도 해당하지 않은 경우에는 부담능력기준, 공정성과 공평성 기준으로 원가배분기준을 찾아서 원가배분기준으로 삼는다. 이에 대한 자세한 내용은 [표 4.6]의 내용과 같다.

[표 4.6] 원가배분의 기준

원가배분기준	원가배분 기준 내용	중요도
인과관계기준	원가배분대상과 배분대상원가 간의 인과관계를 통하여 특정원가를 원가배분대상에 대응시키는 가장 이상적인 배분기준이다. 예 기계관련원가인 경우에는 기계사용시간에 따라 원가가 발생하므로, 기계사용시간을 배부기준으로 기계관련원가를 배분하면, 이를 인과관계기준에 원가배분이다.	별7
수혜기준	수혜기준은 공통원가로부터 제공받은 경제적 효익의 정도에 비례하여 원가를 배분하는 수익자 부담원칙에 입각한 배부기준이다. 예 제조업인 경우에는 생산부서의 직원들이 많이 회사 식당에서 식사를 한다. 　식당부문원가를 제조부문에 배분시 제조부문의 종업원 수(조업도 수)를 기준으로 배분하는 경우다.	별3
부담능력기준	부담능력기준은 수익창출능력 또는 이익창출능력에 비례하여 공통원가를 배분한다. 이러한 경우 수익창출능력이 높은 사업부에 공통원가가 많이 배분되고, 수익창출이 낮은 사업부에 공통원가가 적게 배분시키는 문제점이 있다. 예 매출액 또는 영업이익을 기준으로 본사관리비를 배분하는 경우	별3
공정성, 공평성기준	공정성과 공평성 기준은 공통원가를 여러 원가대상에 배부할 때, 원가배부는 공정하고 공평하게 이루어져야 한다는 원칙	별3

3.5 개별원가계산에서 원가배분의 유형

　개별원가계산에서 원가를 배분하기 위해서는 우선 부문공통비를 제조부문과 보조부문에 배분하는 작업을 진행한다. 제조간접비인 부문공통비를 우선 발생장소인 부문별로 분류하고 집계한다. 다음에는 집계된 보조 부문 비를 제조부문에 배분하는 작업을 진행하고 난 후에, 제조부문에 집계된 원가들을 제품에 배분하는 작업을 진행한다. 이에 대한 자세한 내용은 [표 4.7]과 같다. 부문공통비는 여러 부문 또는 공장 전체에 발생하는 원가로서, 특정부문에 직접적인 추적이 불가능하므로 인위적인 배부기준에 의하여 각 부문에 배부하게 된다. 부문공통비인 제조간접비를 배분 시 적용되는 배부기준의 상황에 따라서 매우 다양하다.

　제품의 제조원가를 정확히 산정하기 위하여 제조간접비(부문공통비)를 우선적으로 그 발생장소인 부문별로 분류하고 집계하는 절차를 말하며, 이것이 발생한 장소를 원가

부문이라고 한다.

보조부문비의 배분은 제조활동에 직접 참여하지는 않으나, 제조부문의 제조활동을
보조하고 용역을 제공하는 부문을 말한다.

[표 4.7] 원가배분의 유형

원가배분 유형	원가배분 유형	중요도
부문공통비를 배분	부문공통비를 제조부문 및 보조부문에 배분하는 유형 부문공통비는 여러 부문 또는 공장 전체에 발생하는 원가로서, 특정 부분에 직접적인 추적이 불가능하므로 인위적인 배부기준에 의하여 각 부문에 배부하게 된다. 부문공통비인 제조간접비를 배분시 적용되 는 배부기준의 상황에 따라서 매우 다양하다. 제품의 제조원가를 정확히 산정하기 위하여 제조간접비(부문공통비) 를 우선적으로 그 발생장소인 부문별로 분류. 집계하는 절차를 말하 며, 이것이 발생한 장소를 원가부문이라고 한다.	별5
보조 부문비 배분	보조 부문 비를 제조부문에 배분하는 유형 제조활동에 직접 참여하지는 않으나, 제조부문의 제조활동을 보조하 고 용역을 제공하는 부문을 말한다. 예 전력부문, 수선부문, 공장관리부문 등	별5
제조 부문비 배분	제조 부문 비를 제품에 배분하는 유형 제품의 제조활동을 직접 담당하는 부문 예 조립부문, 절단부문 등	별5

3.6 개별원가계산에서 주요 제조간접비 배부 기준

[표 4.8] 원가배부 기준

부문 공통비	배부기준(조업도) 내용	중요도
간접재료비	각 부문의 직접재료비	별7
간접노무비	각 부문의 직접노무비, 종업원 수, 직접노동시간	별7
감가상각비	기계감가상각비: 기계사용 시간, 건물감가상각비: 면적	별7
전력비	각 부문의 전력소비량, 마력 운전시간	별7
수선비	각 부문의 수선횟수 또는 시간	별5
가스수도료	각 부문의 가스, 수도 사용량	별5
운반비	각 부문의 운반물품의 무게, 운반거리, 운반횟수	별5
임차료, 재산세, 화재보험료	각 부문이 차지하는 면적, 기계의 가격	별6

부문공통비로 발생하는 여러 종류의 제조간접비를 배부하는 기준을 설정하는 것은 매우 중요하다. 제조업에서 주로 사용하는 주요한 제조간접비의 배부기준은 [표 4.8]과 같이 설정하여 부문공통비를 배부하고 있다. 부문공통비로서 간접재료비가 발생한 경우에는 배부기준으로 각 부문의 직접재료비를 기준으로 부문공통비로 발생한 간접재료비를 배부한다.

또한 부문공통비로 간접노무비가 발생한 경우에는 각 부문의 직접노무비, 종업원 수, 직접노동시간을 기준으로 부문공통비인 간접노무비를 배분할 수 있다. 다른 공통비에 대한 제조간접비의 배부기준의 [표 4.8]에서처럼 배분할 수 있다.

4절   보조 부문 비를 배분하는 방법

보조 부문 비를 배분하는 방법에는 직접 배분법, 단계 배분법, 상호 배분법, 단일 배분율법, 이중배분율법이 있다.

1) **직접 배분법**: 보조부문 상호간의 용역수수관계는 완전히 무시하고, 모든 보조부문 비를 제조부문에 제공하는 용역의 비율에 따라 배부하는 방법이다. 배부절차는 간단하나 보조부문간의 용역수수 관계가 많을 때 원가배부가 정확하지 않는 단점이 있다.

2) **단계 배분법**: 보조 부문들 간에 일정한 배부순서를 정한 다음에 그 배부순서에 따라 보조부문비를 단계적으로 다른 보조부문과 제조부문에 배부하는 방법

> **단계 배분법에 의한 보조부문의 간접원가 배분방법**
>
> 1) 보조부문중에서 다른 보조부문에 제공하는 용역의 비율이 큰 보조부문부터 간접원가를 배분하고 사라짐
> 2) 다른 보조부문에 용역을 제공하는 경우에, 제공을 받은 다른 보조부문의 수가 많은 보조부문부터 순서로 배분하기
> 3) 보조부문의 원가가 큰 순서부터 먼저 배분하기

3) **상호 배분법**: 보조부문 상호간의 용역수수 관계를 전부 고려하여 용역의 제공정도에 따라 보조 부문 비를 제조부문 뿐만 아니라 보조부문에도 배부하는 방법이다. 원가배부가 정확하며, 보조부문비의 배부가 배부순서에 의해 영향을 받지 않는다.

> **상호 배분법에 의한 보조부문의 간접원가 배분방법**
>
> 상호배분법은 보조부문상호간에 용역의 수수관계를 완전히 인식하여 일차다항식으로 보조부문의 간접원가를 표시하여 계산한다.
> 계산방법은 복잡하나 매우 정확히 간접원가를 배분하는 방법이다.
> 배분대상 보조부문 제조간접원가 = 자기부문의 제조간접원가 + 타 부문으로부터 배분받은 제조간접원가

1. 2개의 자회사 L와 S로 구성된 안산그룹은 지난해까지 자회사와 A마케팅회사 간에 독립적으로 마케팅계약을 맺어서 운영되었다. 20×0년도에 안산그룹차원에서 전체 마케팅수수료를 줄이기 위하여 안산그룹전체로 마케팅회사A와 1년간 마케팅계약을 체결하고, 지난해와 동일하게 마케팅회사 A회사가 자회사 L과 S에 대한 마케팅서비스를 제공하기로 하였다. A마케팅회사에 지급할 마케팅수수료비용은 L과 S자회사에서 마케팅수수료를 나누어 부담하기로 하였다. 인과관계기준, 부담능력기준, 수혜기준으로 나누어서 마케팅수수료를 배분하시오.

> • 올해 그룹 전체로 A회사에 지급할 전체 마케팅수수료비용은 2천만 원이고, 전체마케팅수수료비용은 전체 마케팅시간에 시간당수수료를 곱해서 구한다.
> • 지난해에 2개의 자회사 L와 S가 A마케팅회사와 개별적으로 맺었던 계약 자료

지난해 자회사별로 A마케팅회사와 맺었던 계약자료

부문 공통비	L회사 계약내용	S회사 계약내용	전체 합
마케팅 시간	120시간	80시간	200시간
매출액	24억	36억	60억
마케팅에 의한 이익증가	1억	3억	4억
계약 시 수수료	1천6백만 원	1천6백만 원	3천2백만 원

풀이 지난해와 동일하게 A사로부터 마케팅서비스를 받는다고 가정한다.
전체마케팅시간 = 120 + 80 = 200시간
시간당마케팅수수료 = 전체마케팅비용 20,000,000/전체마케팅시간 200 = 100,000원/시간

1. 전체 마케팅 수수료 비용을 인과관계기준에 의거하여 원가를 배분하는 경우
   L회사는 120시간을 마케팅서비스를 받았고, S회사는 80시간의 마케팅서비스를 받은 경우
   L회사가 부담할 마케팅수수료비용 = L회사 마케팅 서비스시간 120/200 * 전체 마케팅수수료 비용 20,000,000 = 12,000,000원
   S회사가 부담할 마케팅수수료비용 = S회사마케팅서비스시간 80/200 * 전체마케팅수수료 비용 20,000,000 = 8,000,000원

2. 전체 마케팅수수료 비용을 부담능력기준에 의거하여 원가를 배분하는 경우
   L회사는 24억을 매출을 올렸고, S회사는 36억의 매출을 올린 경우
   L회사가 부담할 마케팅수수료비용 = L회사매출24/60 * 전체마케팅수수료비용 20,000,000 = 8,000,000원
   S회사가 부담할 마케팅수수료비용 = S회사매출 36/60 * 전체마케팅수수료비용 20,000,000 = 12,000,000원

3. 전체 마케팅 수수료 비용을 수혜기준에 의거하여 원가를 배분하는 경우

    L회사는 마케팅서비스를 받고서 1억의 매출이 더 올랐고, S회사는 마케팅서비스를 받고서 3억의 매출이 더 올린 경우

    L회사가 부담할 마케팅수수료비용 = L회사 추가이익 1/4 * 전체마케팅수수료비용 20,000,000 = 5,000,000원

    S회사가 부담할 마케팅수수료비용 = S회사 추가이익 3/4 * 전체마케팅수수료비용 20,000,000 = 15,000,000원

4. 원가배분기준에 따른 L회사와 S회사가 부담할 수수료의 비교하기

    원가배분기준에 따라서 L회사와 S회사가 부담할 수수료는 다르다. 안산그룹 전체차원에서 어떤 원가배분기준으로 원가를 배분할 것인지는 그룹차원에서 모여서 결정할 일이다. 어느 방방법이 완벽하다고는 할 수 없으나, 인과관계를 원가배분기준으로 삼는 것이 가장 현명한 방법일 수 있다.

    원가배분기준에 따른 L회사와 S회사가 부담할 수수료

원가배분기준	L회사가 부담할 수수료	S회사가 부담할 수수료	전체 합
인과관계	12,000,000원	8,000,000원	20,000,000원
회사부담능력	8,000,000원	12,000,000원	20,000,000원
수혜기준	5,000,000원	15,000,000원	20,000,000원

2. 금돌회사가 보조 부문 비를 배부하려고 할 때 사용할 수 없는 방법은?

① 직접배분법   ② 단계배부법

③ 상호배부법   ④ 단순환원법

풀이 보조부문비를 배분하는 방법에는 직접배분법, 단계배부법, 상호배부법, 단일배분율법, 이중배분율법이 있다.

3. 개별원가계산방식을 사용하고 있는 금돌회사가 제조간접비를 배분하려고 할 때에 보조부문상호간의 용역의 수수정도를 고려하지 않고, 제조부문간의 용역의 제공비율에 배부하는 방법은?

① 직접배분법　　　　　　　　　② 이중법

③ 상호배부법　　　　　　　　　④ 단순환원법

> **풀이** • 직접배분법: 보조부문상호간의 용역수수관계는 완전히 무시하고, 모든 보조부문비를 제조부문의 용역의 비율에 따라 배부하는 방법으로서 배부절차는 간단하나 보조부문간의 용역수수관계가 많을 때에는 원가배부가 정확하지 않은 단점이 있다.
>
> • 상호배부법: 보조부문 상호간의 용역수수관계를 전부 고려하여 용역의 제공정도에 따라 보조부문비를 제조분과 보조부문에 배부하는 방법으로 원가배부가 정확하게 계산한다.

4. 금돌이가 개별원가계산에서 보조부문의 원가를 배분하기 위하여 직접배분법, 단계배분법, 상호배분법을 서로 비교하는 설명으로 옳은 것은?

① 보조부문의 원가를 가장 복잡하게 배분하는 것은 직접배분법이다.

② 보조부문의 원가를 배분할 때에 직접배분법은 단계배분법과 상호배분법을 절충한 방법으로 계산한다.

③ 보조부문의 원가를 가장 정확하게 배분하는 것은 상호배분법이다.

④ 제조회사에서 보조부문상호간의 용역의 수수관계를 무시하고, 제조부문의 용역의 비율에 따라서 배분하는 것이 단계배분법이다.

> **풀이** • 직접배분법: 보조부문 상호간의 용역수수관계는 완전히 무시하고, 모든 보조 부문 비를 제조부문의 용역의 비율에 따라 배부하는 방법으로서 배부절차는 간단하나 원가배부가 정확하지 않은 단점이 있다.
>
> • 단계배분법: 보조부문들간에 일정한 배부순서를 정한 다음에 그 배부순서에 따라 보조부문비를 단계적으로 다른 보조부문과 제조부문에 배부하는 방법
>
> • 상호배부법: 보조부문 상호간의 용역수수관계를 전부 고려하여 용역의 제공 정도에 따라 보조 부문 비를 제조부문과 보조부문에 배부하는 방법으로 원가배부를 가장 정확하게 계산한다.

5. 금돌회사에서 제품제조에 사용하고 있는 기계장치의 감가상각비를 배부하기를 원한다. 어떤 배부기준으로 원가를 배부 하는 것이 가장 타당한가?

① 원재료투입액　　　　　　　　② 제조공장관리비

③ 기계장치 작업시간　　　　　　④ 본사 사무실 전력량

6. 금돌회사는 개별원가계산방식을 사용하여 제조원가를 계산하고 있다. 보조부문에 발생한 원가를 제조부문에 배분한 후에 제품에 원가를 배부하기를 원하고 있다. 다음의 보기에서 원가배분법의 설명에서 옳은 것은?

① 직접배분법은 보조부문의 용역의 수수관계를 고려하여 원가를 계산한다.

② 단계식 배분법에서는 보조부문의 우선순위를 먼저 결정하고 난 후에 원가를 배부한다.

③ 보조부문 동력부의 원가배부는 마력수 * 사용시간을 기준으로 배분하는 것이 합리적이지 않다.

④ 상호배분법에서는 보조부문간의 용역을 전혀 고려하지 않고서 매우 쉽게 계산한다.

> **풀이** 상호배분법에서는 보조부문 상호간의 용역수수관계를 전부 고려하여 용역의 제공정도에 따라 보조부문비를 제조부문과 보조부문에 배부하는 방법으로 원가배부를 정확하게 계산한다. 원가 배부가 정확하며, 보조부문비의 배부가 배부순서에 영향을 받지 않는다.

7. 개별원가를 방식을 사용하여 제조원가를 계산하고 있는 금돌이가 보조부문원가를 제조부문에 배부하기 위하여 직접배부법을 사용하여 배부하려고 한다. 이에 대한 설명으로 가장 알맞은 것은?

① 제조원가를 배부하기 위하여 우선 보조부문원가의 배분순서를 미리 정한다.

② 보조부문간의 용역의 수수관계를 완전히 무시하고 제조 부문 간에 제공하는 용역의 비율에 따라서 배분한다.

③ 보조부문간 용역의 수수관계를 고려하여 원가를 합리적으로 배분하여 원가계산이 정확하다.

④ 원가배분 방법 중에서 가장 정확히 계산할 수 있지만, 원가계산이 매우 복잡하다.

> **풀이** 직접배분법: 보조부문상호간의 용역수수관계는 완전히 무시하고, 모든 보조부문비를 제조부문의 용역의 비율에 따라 배부하는 방법으로서 배부절차는 간단하나 원가배부가 정확하지 않은 단점이 있다.

8. 금돌회사가 공장건물 임차료를 각 부문에 배부하려고 한다. 각 부문에 배부하는 배부기준으로 가장 타당한 것은?

① 각 부문별 공장 건물의 점유 면적   ② 제조공장 부문별 인건비

③ 제조공장 부문별 전기사용료   ④ 제조공장 부문별 관리비

> **풀이** 공장 임차료의 원가를 배부하려고 할 때에는, 건물의 점유면적으로 원가 배부기준으로 삼는 것이 합리적이다.

 **연습문제**

9. 금돌이가 보조부문비를 제조부문에 배분하기를 원하고 있다. 보조부문 상호간의 용역의 수수관계를 고려하는 것이 매우 중요하다고 여기고 있으며, 가장 정확한 원가배분을 계산하기를 원하고 있다. 어떤 방법으로 원가배분 하면 가장 좋은가?

① 단계배분법   ② 상호배분법

③ 직접배분법   ④ 상호순서법

10. 금돌회사는 동력부문과 관리부문에서 발생한 보조부문비를 제조부문에 직접배분법을 사용하여 배분하려고 한다. 제조부문L과 S에 배부할 배분 액은?

보조부문	제조부문L	제조부문S	동력부문	관리부문	원가
동력부문	50%	40%		10%	3,600원
관리부문	60%	20%	20%		1,800원

풀이 직접법으로 원가를 배분하기

• 동력부문원가를 제조부문 L에 배분액 = 동력부문전체원가 3,600 * 제조부문L비율 0.5/(제조부문L비율 0.5 + 제조부문S비율 0.4) = 2,000

• 동력부문원가를 제조부문 S 배분액 = 동력부문전체원가 3,600 * 제조부문s비율 0.4/(제조부문L비율 0.5 + 제조부문S비율 0.4) = 1,600

• 관리부문원가를 제조부문 L에 배분액 = 관리부문전체원가 1,800 * 제조부문L비율 0.6/(제조부문L비율 0.6 + 제조부문S비율 0.2) = 1,350

• 관리부문원가를 제조부문 S 배분액 = 관리부문전체원가 1,800 * 제조부문S비율 0.2/(제조부문L비율 0.6 + 제조부문S비율 0.2) = 450

11. 금돌회사는 2개의 제조부문과 3개의 보조부문으로 구성 되어있다. 보조부문에서 발생한 원가와 제조부문의 보조부문의 서비스 사용현황은 다음과 같다. 동력부문은 동력을 제조부문에서 사용할 수 있도록 서비스를 제공하고 있으며, 관리부문은 제조부문이 건물을 사용할 수 있도록 서비스를 제공하고 있다. 인사부문은 생산직사원들을 공장에 근무시켜서 제품을 생산하도록 제조부문에 인사서비스를 제공하고 있다. 이런 금돌제조회사에서 직접배분법에 의해서 제조부문에 배분할 원가를 계산하시오?

• 보조부문이 발생한 원가

보조부문	발생원가
동력부문	3,000,000원
관리부문	2,000,000원
인사부문	1,000,000원

• 제조부문이 보조부문서비스 사용현황

서비스항목	제조부문L	제조부문S	총합
건물사용면적	120평	480평	600평
임금	4,000,000	8,000,000	12,000,000원
동력사용시간	100시간	400시간	500시간

풀이 • 동력부문이 제조부문L에 배분할 원가 = 3,000,000 * 100/(100 + 400) = 600,000
• 동력부문이 제조부문S에 배분할 원가 = 3,000,000 * 400/(100 + 400) = 2,400,000
• 관리부문이 제조부문L에 배분할 원가 = 2,000,000 * 120/(120 + 480) = 400,000
• 관리부문이 제조부문S에 배분할 원가 = 2,000,000 * 480/(120 + 480) = 1,600,000
• 인사부문이 제조부문L에 배분할 원가 = 1,000,000 * 4,000,000/(4,000,0000 + 8,00,0000) = 333,333
• 인사부문이 제조부문S에 배분할 원가 = 1,000,000 * 8,000,000/(4,000,000 + 8000,000) = 666,666

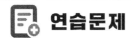

12. 금돌제조회사는 다음의 자료를 사용하여 보조부문원가를 제조원가에 직접배분법, 단계배분법, 상호배분법을 사용하여 제조부문에 배분하시오.

> • 보조부문인 전력부문은 제조부문에 전력서비스를 제공하고 있으며, 관리부문은 제조부문에 기계장치의 수선 및 유지보수 서비스를 제공하고 있다.

항목	제조부문		보조부문		총합
	제조부분A	제조부분B	전력부문S1	관리부문S2	
부문별발생원가	14,400	13,600	6,000	2,800	36,800
전력부문(kw/h)	120	80	-	100	300시간
관리부문(횟수)	8	12	10	-	30회

풀이　가. 직접원가배분에 의한 원가배분

전력부문원가를 제조부문A에 배분액 = 6,000 * 120/(120 + 80) = 3,600

전력부문원가를 제조부문B에 배분액 = 6,000 * 80/(120 + 80) = 2,400

관리부문원가를 제조부문A에 배분액 = 2,800 * 8/(8 + 12) = 1,120

관리부문원가를 제조부문B에 배분액 = 2,800 * 12/(8 + 12) = 1,680

직접원가배분에 의한 보조부문의 원가 배분액

제조부문A에 보조부문의 원가의 배분액 = 3,600 + 1,120 = 4,720

제조부문B에 보조부문의 원가의 배분액 = 2,400 + 1,680 = 4,080

총제조부문A원가 = 14,400 + 4,720 = 19,120

총제조부문B원가 = 13,600 + 4,080 = 17,680

총원가 = 총제조부문A원가 + 총제조부문B원가 19,120 + 17,680 = 36,800

나. 단계 배분법에 의한 원가배분

1.보조부문에서 원가가 가장 많이 발생한 전력부문의 원가를 가장 먼저 배분하고 사라짐

전력부문원가를 제조부문A에 배분액 = 6,000 * 120/(120 + 80 + 100) = 2,400

전력부문원가를 제조부문B에 배분액 = 6,000 * 80/(120 + 80 + 100) = 1,600

전력부문원가를 관리부문S2에 배분액 = 6,000 * 100/(120 + 80 + 100) = 2,000

관리부문의 원가 = 2,800 + 2,000 = 4,800

관리부문 원가를 제조부문A에 배분액 = 4,800 * 8/(8 + 12) = 1,920

관리부문 원가를 제조부문B에 배분액 = 4,800 * 12/(8 + 12) = 2,880

단계배분법에 의한 보조부문의 원가 배분액

제조부문A에 보조부문의 원가의 배분액 = 2,400 + 1,920 = 4,320

제조부문B에 보조부문의 원가의 배분액 = 1,600 + 2,880 = 4,480

총 제조부문A원가 = 14,400 + 4,320 = 18,720

총 제조부문B원가 = 13,600 + 4,480 = 18,080

총제조원가 = 총 제조부문A원가 + 총 제조부문B원가 18,720 + 18,080 = 36,800

다. 상호 배분법에 의한 원가배분

　　배분대상 보조부문 제조간접원가 = 자기부문 제조간접원가 + 타보조 부문으로 부터 배분

　　받은 제조간접원가

　　1) s1 = 6,000 + 10/30 s2 = 6,000 + 0.33s2

　　2) s2 = 2,800 + 100/300s1 = 2,800 + 0.33s1

　　1)식과 2)식을 사용하여 s1과 s2를 구하기

　　1) 0.33s1 = 1,980 + 0.1089 s2

　　2) - 0.33s1 = 2,800 - s2

　　1)식과 2)식을 더하면

　　0 = 4,780 - (1 - 0.1089)s2

　　0.8911s2 = 4,780

　　s2 = 5,364

　　1)식에 대입하면

　　0.33s1 = 1,980 + 0.1089 * 5,364 = 2,564

　　s1 = 2,564/0.33 = 7,770

　　제조간접원가 = 자기부문 제조간접원가 + 타보조부문으로부터 배분받은 제조간접원가

　　A 제조부문 제조간접원가 = 14,400 + 120/300S1 + 8/30S2 = 14,400 + 0.4 * 7,770 + 0.27 *

　　5,364 = 18,956.3

　　B 제조부문 제조간접원가 = 13,600 + 80/300S1 + 12/30S2 = 13,600 + 0.27 * 7,770 + 0.4 *

　　5,364 = 17,843.5

　　총제조원가 = A 제조부문 제조간접원가 + B 제조부문 제조간접원가 = 18,956.3 + 17,843.5

　　= 36,800 (반올림 처리함)

5절 ▶ 여러 제조 부문이 존재하는 부문별 원가계산

5.1 제조부문이 여러 개인 경우에 제조부문의 원가를 배부하기

제조기업에서 제품을 생산하면서, 추적이 가능한 직접재료원가와 직접노무원가는 개별제품과의 인과관계에 의해서, 원가를 제품에 대응시키면서, 원가를 배부할 수 있으나, 공통적으로 발생하는 제조간접원가는 인과관계를 추적할 수 없어서, 제조부문에 집계한 후에 일정한 배부기준에 따라서 제품에 배부해야 한다. 제조부문의 수가 여러 개인 경우에 제조간접비를 공장전체 배부율과 제조부문별 배부율로 나누어서 계산할 수 있다. 제조부문이 한 개인 경우와 두 개인 제조부문이 있는 경우에 대한 개념을 그림으로 그리면 아래 [그림 4.2]~[그림 4.3]과 같다.

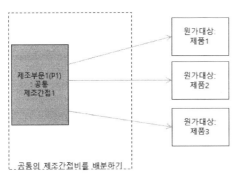

공통의 제조간접비를 배분하기
제조부문에서 공통으로 발생한 제조간접원가를 제품별로 배부하기

[그림 4.2] 한 개의 제조부문에서 제품제조

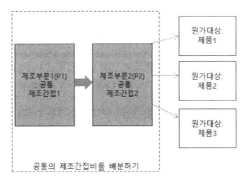

공통의 제조간접비를 배분하기
제조부문에서 공통으로 발생한 제조간접원가를 제품에 배부하기
제조부문1과 제조부문2에 발생한 제조간접원가를 제품에 배부

[그림 4.3] 두 개의 제조부문에서 제품제조

6절 공장전체와 제조부문별 제조간접원가 계산

[표 4.10] 제조간접원가 배부율 계산

배부율 계산 방식	여러 제조부문이 존재하는 경우에 배부율방식	중요도
공장 전체 배부율 계산	• 제조공장의 공통적인 제조간접비를 각 제조부문별로 집계하여 배부 하지 않고, 공장전체의 총제조간접비를 공장전체 제조부문의 배부기준으로 나누어서 공장전체에 배부율로 제조간접원가율을 산정한 후에, 이 값을 기준으로 제품에 제조간접원가를 배부하는 방법이다. • 계산방식은 매우 쉬우나 제품원가계산이 부정확한 단점이 있다. • 제조공장전체 제조간접원가 배부율 = 공장전체 총 제조간접원가/ 공장전체 총 제조부문 배부기준(실제조업도) • 제품별 제조간접비 배부액 = 제품별실제조업도 * 제조공장 전체 제조간접원가 배부율 예) 공장전체 제조간접비를 배부율에 따라서 원가를 배분하여 원가대상에 원가를 배분하기	별 7
제조부문별 제조간접원가 배부율 계산	• 제조부문별로 제조간접원가를 집계한 후에 각 제조부문의 특성에 맞는 배부기준으로 제조부문별로 집계한 제조간접원가로 나누어서 제조부문별로 제조간접원가 배부율을 구한다. • 제조부문별로 집계한 제조간접비는 보조부문으로부터 받은 제조간접원가에 제조부분에서 발생한 제조간접원가를 합한 금액이다. • 제조부문별로 집계한 총 제조부문별 제조간접원가 = 제조부문에서 발생한 제조간접원가 + 보조부문 으로 부터 배분받은 제조간접원가 • 제조부문별 제조간접원가배부율 = 제조부문별로 집계한 총제조부문별 제조간접원가/제조부문별배부기준 • 제품별 제조간접비 배부액 = 제품별실제조업도 * 제조부문별 제조간접원가 배부율 예) 부문별로 제조간접원가를 배분하여 계산한 후에 발생된 원가를 제품에 최종 배부하기 - 기계관련 원가(감가상각비, 연료비, 유지보수비), 공장임차료와 관리비	별 7

공장전체 배부율 계산과 제조부문별 제조간접원가배부율은 [표 4.10]과 같이 요약 설명할 수 있다.

예제1) 당기에 영업을 개시한 ㈜금돌회사는 한 개의 제조부문을 통해서 제품1,제품2, 제품3을 아래의 그림처럼 제품을 제조해서 판매하고 있다. 다음의 제품1, 제품2, 제품3은 제조부문1에서 발생한 제품1, 제품2, 제품3을 제조하기 위해서 발생한 직접재료원가, 직접노무원가와 제조간접원가이다. 당기에 착수한 제품들은 모두 당기에 완성되었다고 가정한다.

가. 당기에 제조부문 P1에서 발생한 총 제조간접비는 600,000원인 경우

나. 제품을 제조하는데 사용된 직접재료원가와 직접노무원가는 다음과 같다.

[표 4.11] 제품을 제조하는데 사용된 직접재료원가와 직접노무원가

항목	제품1	제품2	제품3	총합
직접재료원가	40,000	60,000	100,000	200,000
직접노무원가	100,000	100,000	200,000	400,000

다. 제품제조를 위해서 제조부문에서 사용된 제품별 노동시간과 기계가동시간은 다음과 같이 발생하였다.

[표 4.12] 제조부문에서 사용된 제품별 노동시간과 기계가동시간

항목	제품1	제품2	제품3	총합
노동시간(시간)	10,000	5,000	5,000	20,000
기계가동시간	20,000	20,000	20,000	60,000

제조공정에서 발생하는 공통의 제조간접비를 배분하기 위한 개념도는 아래 그림과 같다.

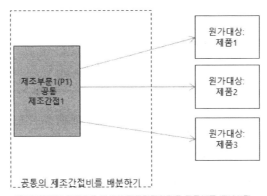

[그림 4.4] 한 개 제조부문으로 제품제조 후 제조간접비를 배분

요구사항1: 제조간접비를 직접노무원가를 기준으로 공장 전체 배부율로 제품에 배분하고 제품별 제조원가를 계산하기

요구사항2: 제조간접비를 노동시간을 기준으로 공장 전체 배부율로 제품에 배분하고 제품별 제조원가를 계산하기

요구사항3: 제조간접비를 기계가동시간을 기준으로 공장 전체 배부율로 제품에 배분하고 제품별 제조원가를 계산하기

풀이

가. 요구사항1: 제조간접비를 직접노무원가를 기준으로 공장 전체 배부율로 제품에 배분하기

- 제조공장 전체 제조간접원가배부율 = 공장전체 총제조간접원가/ 공장전체총제조부문배부기준(실제조업도) = 총제조간접비 600,000/ 총직접노무원가400,000 = 1.5

- 제품별 제조간접비 배부액 = 제품별실제조업도 * 제조공장 전체 제조간접원가배부율

- 제품1의 제조간접비 배부액 = 제품1직접노무원가 100,000 * 제조공장 전체 제조간접원가배부율 1.5 = 150,000

- 제품2의 제조간접비 배부액 = 제품2직접노무원가 100,000 * 제조공장 전체 제조간접원가배부율 1.5 = 150,000

- 제품3의 제조간접비 배부액 = 제품3직접노무원가200,000 * 제조공장 전체 제조간접원가배부율 1.5 = 300,000

제조간접비를 직접노무원가를 기준으로 제조간접비를 배부한 후에 제품별 제조원가를 아래와 같이 계산할 수 있다.

- 제품별 (당기)총제조원가 = 직접재료비 + 직접노무비 + 제조간접비

항목	제품 1	제품 2	제품3	총합
직접재료원가	40,000	60,000	100,000	200,000
직접노무원가	100,000	100,000	200,000	400,000
제조간접비	150,000	150,000	300,000	600,000
제품별(당기)총제조원가	290,000	310,000	600,000	1,200,000

나. 요구사항2: 제조간접비를 노동시간을 기준으로 공장 전체 배부율로 제품에 배분하기

- 제조공장전체 제조간접원가 배부율 = 공장전체 총 제조간접원가/ 공장전체 총 제조부문 배부기준(실제조업도) = 총제조간접비 600,000/ 총노동시간20,000 = 30

- 제품별 제조간접비 배부액 = 제품별실제조업도 * 제조공장 전체 제조간접원가 배부율

- 제품1의 제조간접비 배부액 = 제품1노동시간 10,000 * 제조공장 전체 제조간접원가배부율 30 = 300,000

- 제품2의 제조간접비 배부액 = 제품2노동시간 5,000 * 제조공장 전체 제조간접원가배부율 30 = 150,000

- 제품3의 제조간접비 배부액 = 제품3노동시간 5,000 * 제조공장 전체 제조간접원가배부율 30 = 150,000

제조간접비를 노동시간을 기준으로 제조간접비를 배부한 후에 제품별 제조원가를 아래와 같이 계산할 수 있다.

- 제품별 (당기)총제조원가 = 직접재료비 + 직접노무비 + 제조간접비

항목	제품 1	제품 2	제품3	총합
직접재료원가	40,000	60,000	100,000	200,000
직접노무원가	100,000	100,000	200,000	400,000
제조간접비	300,000	150,000	150,000	600,000
제품별(당기)총제조원가	440,000	310,000	450,000	1,200,000

다. 요구사항3: 제조간접비를 기계가동시간을 기준으로 공장전체배부율로 제품에 배분하기

- 제조공장전체 제조 간접원개배부율 = 총제조간접비 600,000/ 총기계가동시간 60,000 = 10

- 제품별 제조간접비배부액 = 제품별실제조업도 * 제조공장전체제조간접원가배부율

- 제품1의 제조간접비 배부액 = 제품1기계가동시간 20,000 * 제조공장 전체 제조간접원가 배부율 10 = 200,000

- 제품2의 제조간접비 배부액 = 제품2기계가동시간 20,000 * 제조공장 전체 제조간접원가배부율 10 = 200,000

- 제품3의 제조간접비 배부액 = 제품3기계가동시간 20,000 * 제조공장 전체 제조간접원가배부율 10 = 200,000

제조간접비를 기계가동시간을 기준으로 제조간접비를 배부한 후에 제품별 제조원가를 아래와 같이 계산할 수 있다.

- 제품별 (당기)총제조원가 = 직접재료비 + 직접노무비 + 제조간접비

항목	제품 1	제품 2	제품3	총합
직접재료원가	40,000	60,000	100,000	200,000
직접노무원가	100,000	100,000	200,000	400,000
제조간접비	200,000	200,000	200,000	600,000
제품별(당기)총제조원가	340,000	360,000	500,000	1,200,000

예제2) 당기에 영업을 개시한 ㈜금돌회사는 두 개의 제조부문을 통해서 제품1,제품2, 제품3을 아래의 그림처럼 제품을 제조해서 판매하고 있다. 다음의 제품1, 제품2, 제품3은 제조부문 P1과 P2를 통해서, 제품을 제조하기 위해서 발생한 직접재료원가, 직접노무원가와 제조간접원가이다. 당기에 착수한 제품들은 모두 당기에 완성되었다고 가정한다.

가. 당기에 제조부문 P1에서 발생한 총 제조간접비는 200,000원인 경우

나. 당기에 제조부문 P2에서 발생한 총 제조간접비는 400,000원인 경우

    – 제조공통경비인 제조간접비를 공장전체로 배분하는 경우이다.

다. 제품을 제조하는데 사용된 직접재료원가와 직접노무원가는 다음과 같다.

[표 4.13] 제품을 제조하는데 사용된 직접재료원가와 직접노무원가

항목	제품1	제품2	제품3	총합
직접재료원가	40,000	60,000	100,000	200,000
직접노무원가	100,000	100,000	200,000	400,000

다. 제품제조를 위해서 제조부문 P1에서 사용된 제품별 노동시간과 기계가동시간은 다음과 같이 발생하였다.

[표 4.14] 제조부문P1에서 사용된 제품별 노동시간과 기계가동시간

항목	제품1	제품2	제품3	총합
노동시간(시간)	4,000	6,000	10,000	20,000
기계가동시간	10,000	5,000	5,000	20,000

라. 제품제조를 위해서 제조부문 P2에서 사용된 제품별 노동시간과 기계가동시간은 다음
과 같이 발생하였다.

[표 4.15] 제조부문P2에서 사용된 제품별 노동시간과 기계가동시간

항목	제품1	제품2	제품3	총합
노동시간(시간)	8,000	8,000	4,000	20,000
기계가동시간	40,000	20,000	20,000	80,000

2개의 제조부문을 사용하여 제품을 제조하는 제조공정에서 발생하는 공통의 제조간접비
를 공장전체로 배분하기 위한 개념도는 아래 그림과 같다.

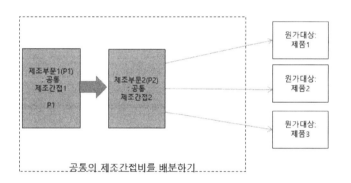

[그림 4.5] 두 제조부문으로 제품제조 후 제조간접비를 공장전체 배부율로 배분

요구사항1: 제조간접비를 직접노무원가를 기준으로 공장 전체 배부율로 제품에 배분하
고 제품별 제조원가를 계산하기

요구사항2: 제조간접비를 노동시간을 기준으로 공장전체 배부율로 제품에 배분하고 제
품별 제조원가를 계산하기

요구사항3: 제조간접비를 기계가동시간을 기준으로 공장전체 배부율로 제품에 배분하고
제품별 제조원가를 계산하기

풀이

가. 요구사항1: 두 개 제조부문을 사용하여 제조간접비를 직접노무원가를 기준으로 공장전체 배부
율로 제품에 배분하기

- 제조공장 전체 제조 간접 원가 배부율 = 공장전체 총 제조간접원가/ 공장전체 총 제조부문 배부
기준(실제조업도) = 총 제조간접비 (200,000 + 400,000)/ 총 직접노무원가400,000 = 1.5

- 제품별 제조간접비 배부액 = 제품별실제조업도 * 제조공장전체제조간접원가배부율

- 제품1의 제조간접비 배부액 = 제품1직접노무원가 100,000 * 제조공장 전체 제조간접원가배부율 1.5 = 150,000

- 제품2의 제조간접비 배부액 = 제품2직접노무원가 100,000 * 제조공장 전체 제조간접원가배부율 1.5 = 150,000

- 제품3의 제조간접비 배부액 = 제품3직접노무원가200,000 * 제조공장 전체 제조간접원가배부율 1.5 = 300,000

두개의 제조부문을 사용하여 제품을 제조하는 경우에 제조간접비를 직접노무원가를 기준으로 제조

- 간접비를 배부한 후에 제품별 제조원가를 아래와 같이 계산할 수 있다.

- 제품별 (당기)총제조원가 = 직접재료비 + 직접노무비 + 제조간접비

항목	제품 1	제품 2	제품3	총합
직접재료원가	40,000	60,000	100,000	200,000
직접노무원가	100,000	100,000	200,000	400,000
제조간접비	150,000	150,000	300,000	600,000
제품별(당기)총제조원가	290,000	310,000	600,000	1,200,000

나. 요구사항2: 두 개의 제조부문을 사용하여 제조간접비를 노동시간을 기준으로 공장전체 배부율로 제품에 배분하기

- 제조공장전체 제조 간접 원개 배부율 = 공장전체 총 제조간접원가/ 공장전체 총 제조부문 배부기준(실제조업도) = 총 제조간접비(200,000 + 400,000/ 총 노동시간(20,000 + 20,000) = 15

- 제품별 제조간접비 배부액 = 제품별실제조업도 * 제조공장 전체 제조간접원가배부율

- 제품1의 제조간접비 배부액 = 제품1노동시간(4,000 + 8,000) * 제조공장 전체 제조간접원가배부율 15 = 180,000

- 제품2의 제조간접비 배부액 = 제품2노동시간(6,000 + 8,000) * 제조공장 전체 제조간접원가배부율 15 = 210,000

- 제품3의 제조간접비 배부액 = 제품3노동시간(10,000 + 4,000) * 제조공장 전체 제조간접원가배부율 15 = 210,000

제조간접비를 노동 시간을 기준으로 제조간접비를 배부한 후에 제품별 제조원가를 아래와 같이 계산할 수 있다.

- 제품별 (당기)총제조원가 = 직접재료비 + 직접노무비 + 제조간접비

항목	제품 1	제품 2	제품3	총합
직접재료원가	40,000	60,000	100,000	200,000
직접노무원가	100,000	100,000	200,000	400,000
제조간접비	180,000	210,000	210,000	600,000
제품별(당기)총제조원가	320,000	370,000	510,000	1,200,000

다. 요구사항3: 두 개의 제조부문을 사용하여 제조간접비를 기계가동시간을 기준으로 공장전체 배부율로 제품에 배분하기

- 제조공장전체 제조 간접 원가 배부율 = 총 제조간접비 600,000/ 총 기계가동시간 (20,000 + 80,000) = 6

- 제품별 제조간접비 배부액 = 제품별실제조업도 * 제조공장 전체 제조간접원가배부율

- 제품1의 제조간접비 배부액 = 제품1기계가동시간(10,000 + 40,000) * 제조공장 전체 제조간접원가배부율 6 = 300,000

- 제품2의 제조간접비 배부액 = 제품2기계가동시간(5,000 + 20,000) * 제조공장 전체 제조간접원가배부율 6 = 150,000

- 제품3의 제조간접비 배부액 = 제품3기계가동시간(5,000 + 20,000) * 제조공장 전체 제조간접원가 배부율 6 = 150,000

두개제조부문을 사용한 제조간접비를 기계가동시간을 기준으로 제조간접비를 배부한 후에 제품별 제조원가를 아래와 같이 계산할 수 있다.

- 제품별 (당기)총제조원가 = 직접재료비 + 직접노무비 + 제조간접비

항목	제품 1	제품 2	제품3	총합
직접재료원가	40,000	60,000	100,000	200,000
직접노무원가	100,000	100,000	200,000	400,000
제조간접비	300,000	150,000	150,000	600,000
제품별(당기)총제조원가	440,000	310,000	450,000	1,200,000

예제3) 당기에 영업을 개시한 ㈜금돌회사는 두 개의 제조부문을 통해서 제품1,제품2, 제품3을 아래의 그림처럼 제품을 제조해서 판매하고 있다. 다음의 제품1, 제품2, 제품3은 제조부문 P1과 P2를 통해서 제품을 제조하기 위해서 발생한 직접재료원가, 직접노무원가와 제조간접원가이다. 당기에 착수한 제품들은 모두 당기에 완성되었다고 가정한다.

가. 당기에 제조부문 P1에서 발생한 총 제조간접비는 200,000원인 경우
나. 당기에 제조부문 P2에서 발생한 총 제조간접비는 400,000원인 경우
   – 제조공통경비인 제조간접비를 제조부문별로 배분하는 경우이다.
다. 제품을 제조하는데 사용된 직접재료원가와 직접노무원가는 다음과 같다.

[표 4.16] 제품을 제조하는데 사용된 직접재료원가와 직접노무원가

항목	제품1	제품2	제품3	총합
직접재료원가	40,000	60,000	100,000	200,000
직접노무원가	100,000	100,000	200,000	400,000

다. 제품제조를 위해서 제조부문 P1에서 사용된 제품별 노동시간과 기계가동시간은 다음과 같이 발생하였다.

[표 4.17] 제조부문P1에서 사용된 제품별 노동시간과 기계가동시간

항목	제품1	제품2	제품3	총합
노동시간(시간)	4,000	6,000	10,000	20,000
기계가동시간	10,000	5,000	5,000	20,000

라. 제품제조를 위해서 제조부문 P2에서 사용된 제품별 노동시간과 기계가동시간은 다음과 같이 발생하였다.

[표 4.18] 제조부문P2에서 사용된 제품별 노동시간과 기계가동시간

항목	제품1	제품2	제품3	총합
노동시간(시간)	8,000	8,000	4,000	20,000
기계가동시간	40,000	20,000	20,000	80,000

2개의 제조부문을 사용하여 제품을 제조하는 제조공정에서 발생하는 공통의 제조간접비를 제조부문별로 배분하기 위한 개념도는 아래 그림과 같다.

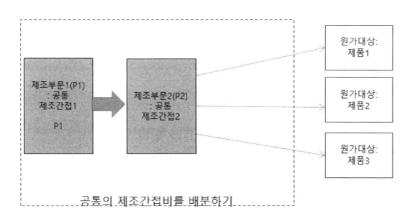

[그림 4.6] 두 제조부문으로 제품을 제조하고 제조간접비를 제조부문별로 배분

요구사항1: 제조부문P1은 노동시간을 기준으로 제조간접비를 배분하고 P2는 기계가동시간을 기준으로 제조간접비를 배부하기

요구사항2: 제조부문P2는 제조간접비를 기계가동시간을 기준으로 배부하고, P2는 노동시간을 기준으로 제조간접비를 배부하기

풀이

가. 요구사항1: 제조부문P1은 노동시간을 기준으로 제조간접비를 배분하고 P2는 기계가동시간을 기준으로 제조간접비를 배부하기

1) 위의 자료를 사용하여 제조부문 P1은 노동시간을 기준으로 제조간접비(P1제조간접비 200,000)을 배분하는 경우

- 제조부문별로 집계한 총 제조간접원가 = 제조부문에서 발생한 제조간접원가 + 보조부문으로부터 배분받은 제조간접원가

- 제조부문P1제 조간접비 = 200,000 + 0 = 200,000

- 제조부문별 제조간접원가배부율 = 제조부분별로 집계한 총제조간접원가200,000/ 제조부문별 배부기준(실제조업도)20,000 = 10

- 제품별 제조간접비 배부액 = 제품별실제조업도 * 제조부문별 제조간접원가배부율

- 제품1의 제조간접비 배부액 = 제품1노동시간4,000 * 제조부문별 제조간접원가배부율 10 = 40,000

- 제품2의 제조간접비 배부액 = 제품2노동시간6,000 * 제조부문별 제조간접원가배부율 10 = 60,000

- 제품3의 제조간접비 배부액 = 제품3노동시간10,000 * 제조부문별 제조간접원가배부율 10 = 100,000

2) 위의 자료를 사용하여 제조부문 P2은 기계가동시간을 기준으로 제조간접비(P2제조간접비 400,000)을 배분하는 경우

- 제조부문별로 집계한 총 제조간접원가 = 제조부문에서 발생한 제조간접원가 + 보조부문으로부터 배분받은 제조간접원가

- 제조부문P2 제조간접비 = 400,000 + 0 = 400,000

- 제조부문별 제조간접원가배부율 = 제조부분별로 집계한 총제조간접원가400,000/ 제조부문별 배부기준(실제조업도)80,000 = 5

- 제품별 제조간접비 배부액 = 제품별실제조업도 * 제조부문별 제조간접원가배부율

- 제품1의 제조간접비 배부액 = 제품1기계가동시간40,000 * 제조부문별 제조간접원가배부율 5 = 200,000

- 제품2의 제조간접비 배부액 = 제품2기계가동시간20,000 * 제조부문별 제조간접원가배부율 5 = 100,000

- 제품3의 제조간접비 배부액 = 제품3기계가동시간20,000 * 제조부문별 제조간접원가배부율 5 = 100,000

3) P1은 노동시간기준으로 P2는 기계가동시간을 기준으로 제조간접비를 배부한 경우에 제품별 (당기)총제조원가를 계산하기

[표 4.19] P1은 노동시간기준, P2는 기계가동시간을 기준으로 제조간접비를 배부

P1은 노동시간기준으로 P2는 기계가동시간을 기준으로 제조간접비를 배부한 경우				
항목	제품1	제품2	제품3	총합
직접재료원가	40,000	60,000	100,000	200,000
직접노무원가	100,000	100,000	200,000	400,000
P1제조간접비	40,000	60,000	100,000	200,000
P2제조간접비	200,000	100,000	100,000	400,000
(당기)총제조원가	380,000	320,000	500,000	1,200,000

나. 요구사항2: 제조부문P1은 기계 가동시간을 기준으로 제조간접비를 배분하고 P2는 노동시간을 기준으로 제조간접비를 배부하기

1) 위의 자료를 사용하여 제조부문 P1은 기계 가동시간을 기준으로 제조간접비(P1제조간접비 200,000)을 배분하는 경우

- 제조부문별로 집계한 총 제조간접원가 = 제조부문에서 발생한 제조간접원가 + 보조부문으로 부터 배분받은 제조간접원가

- 제조부문P1제조간접비 = 200,000 + 0 = 200,000

- 제조부문별 제조간접원가배부율 = 제조부분별로 집계한 총제조간접원가200,000/ 제조부문별 배부기준(실제조업도)20,000 = 10

- 제품별 제조간접비 배부액 = 제품별실제조업도 * 제조부문별 제조간접원가배부율

- 제품1의 제조간접비 배부액 = 제품1기계가동시간10,000 * 제조 부문별 제조간접원가배부율 10 = 100,000

- 제품2의 제조간접비 배부액 = 제품2기계가동시간5,000 * 제조 부문별 제조간접원가배부율10 = 50,000

- 제품3의 제조간접비 배부액 = 제품3기계가동시간5,000 * 제조부문별 제조간접원가배부율 10 = 50,000

2) 위의 자료를 사용하여 제조부문 P2은 노동시간을 기준으로 제조간접비(P2제조간접 400,000)을 배분하는 경우

- 제조부문별로 집계한 총 제조간접원가 = 제조부문에서 발생한 제조간접원가 + 보조부문으로부터 배분받은 제조간접원가

- 제조부문P2제조간접비 = 400,000 + 0 = 400,000

- 제조부문별 제조간접원가배부율 = 제조부분별로 집계한 총제조간접원가400,000/ 제조부문별 배부기준(실제조업도)20,000 = 20

- 제품별 제조간접비 배부액 = 제품별실제조업도 * 제조부문별 제조간접원가배부율

- 제품1의 제조간접비 배부액 = 제품1노동시간8,000 * 제조부문별 제조간접원가배부율 20 = 160,000

- 제품2의 제조간접비 배부액 = 제품2노동시간8,000 * 제조부문별 제조간접원가배부율 20 = 160,000

- 제품3의 제조간접비 배부액 = 제품3노동시간4,000 * 제조부문별 제조간접원가배부율 20 = 80,000

3) P1은 기계 가동시간 기준으로 P2는 노동시간을 기준으로 제조간접비를 배부한 경우에 제품별 (당기)총제조원가를 계산하기

[표 4.20] P1은 노동시간기준, P2는 기계가동시간을 기준으로 제조간접비를 배부

항목	P1은 기계가동시간 기준으로 P2는 노동가동시간을 기준으로 제조간접비를 배부한 경우			
	제품1	제품2	제품3	총합
직접재료원가	40,000	60,000	100,000	200,000
직접노무원가	100,000	100,000	200,000	400,000
P1제조간접비	100,000	50,000	50,000	200,000
P2제조간접비	160,000	160,000	80,000	400,000
(당기)총제조원가	400,000	370,000	430,000	1,200,000

제5장
활동원가계산

1절 ▶ 활동기준 원가계산 방식의 발생 배경

■ 전통적인 회계방식에서 원가계산의 주요 내용

전통적인 회계방식은 과거의 노동집약적인 생산방식에서 적합하게 만들어진 회계방식이다. 기존의 회계방식은 제조원가에서 직접노무비가 차지하는 비중이 높아서, 이것을 기준으로 제조간접원가를 제품에 배부했다. 기존의 제조기업에서 사용되었던 원가회계 방식으로 현재 산업에서는 제조간접비를 정확하게 계산하여 제품에 배분하는데 문제가 발생하고 있다.

■ 활동적인 회계방식에서 원가계산의 주요 내용

요즘에는 제조기술이 눈부시게 발전하면서, 이로 인한 공장자동화가 이루어지면서, 제조간접비가 차지하는 비중이 엄청 증가하고 있다. 제조간접비의 발생도 단순히 생산량(조업도)에 따라서 증가하지 않고 생산 활동의 원가동인에 의해서 제조간접비가 증가하고 있다. 생산 활동은 복잡하고 다양하게 변화하는데, 이에 대응하여 정확한 원가계산에 대한 필요성이 대두되고 있다. 이런 필요성에 의해서 기존 개별원가계산방식을 보다 발전시켜서, 활동기준 계산 원가계산 방식으로 발전시키고 있다.

정확한 원가계산을 위해서 기업의 기능을 여러 활동별로 구분한 다음에, 활동을 기본적인 원가대상으로 삼아서, 활동별로 원가를 집계하고 , 활동별로 집계된 원가를 각 활동별로 원가동인에 의해서 제품에 배부한다. 활동기준 원가계산 방식은 정확한 제품원가계산의 필요성과 기존의 전통적인 원가계산의 한계점을 극복하기 위해서 1980년 중반 미국에서 시작되고, 국내에서도 도입하여 사용 중인 기업들도 있다.

요즘에는 기술의 발달로 공장이 자동화하면서 제조간접비의 비중이 증가하면서, 전통적으로 노동집약적인 산업에서 사용했던 직접노동시간이나 기계가동시간을 조업도로 삼아서 원가를 배분했던 방식으로는 정확한 원가를 배분을 하지 못하는 한계에 도달했다.

현대에는 생산이 수요를 앞지르는 상황에서 기업들은 다품종 소량생산으로 제품을 생산해서 수익을 창출해야하는 기업에서 개별제품의 수익을 정확하게 파악하는 것이 매우 중요하다.

소비자의 다양한 욕구를 충족시키기 위한 다품종 소량생산 체제에서 기업이 수익을 창출하기 위하여 개별제품에 대한 원가를 정확히 계산하여, 수익성이 높은 제품개발에 역량을 집중해야 하므로, 이에 대한 방법으로 활동원가계산 방식을 사용하는 것이다. 활동기준 원가계산방식은 전통적인 방식에 비하여 대량의 정보를 수집해야하는데, 요즘에 IT정보기술의 발전으로 정보수집이 가능하여 활동원가계산방식을 사용할 수 있다.

전통적인 방식에 의한 원가계산방식은 정확히 원가를 계산할 수 없는 단점이 있으나, 활동원가계산방식은 제조부문의 원가계산 뿐만 아니라, 연구개발, 제품개발, 마케팅, 유통, 고객서비스분야로 확대하여 원가를 계산할 수 있는 장점이 있다.

2절   전통적 회계와 활동기준원가계산방식의 비교

전통적인 회계방식과 활동기준 방식들의 개념을 [그림 5.1]과 [그림 5.2]로 나타낼 수 있다. 직접재료비와 직접노무비는 추적이 가능하여 원가대상인 제품들에게 바로 대응시켜서 원가를 배분하였다.

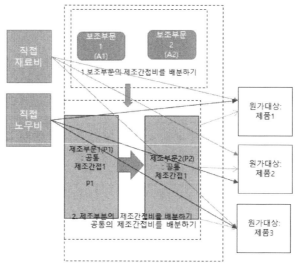

[그림 5.1] 전통적인 방식으로 원가를 제조부문에 배부하기

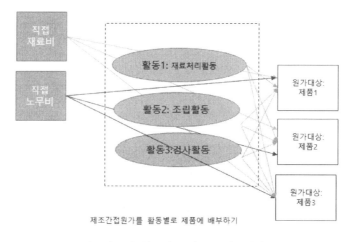

[그림 5.2] 활동별로 제품에 배부하기

그런데, 부문 간에 공통적으로 발생하는 제조간접비인 경우에는 전통적인 방식에 발생한 원가를 보조부문원가와 제조부문원가를 부문별로 나누어서, 보조부문의 원가를 제조부문에 배분하였다. 제조부문에서는 보조부문에서 배분받은 원가와 제조부문에서 발생된 원가를 합쳐서, 그 원가들을 제품별로 배분하였다.

이에 반하여 활동기준 원가계산방식에서는 [그림 5.2]에서처럼, 제조간접비를 활동별로 나누어서 활동별로 제조간접비를 배분하고 제품에 배분한다.

전통적인 원가계산 방식과 활동기준 원가계산방식들의 특징들을 비교해보면, 아래 [표 5.1]과 같이 비교할 수 있다.

[표 5.1] 전통적인 원가계산방식과 활동기준 원가계산 방식의 비교

항목	전통적인 원가계산방식 특징	활동기준 원가계산방식 특징	비고
주요특징	전통적인 원가계산방식은 원가 동인이 제품이나 서비스라고 간주하여 원가를 관리하면서, 제품이나 서비스에 원가를 배부한다. 각 제품이나 서비스가 소비하는 자원에 대한 원가관리에 초점을 맞춘다. 원가정보의 정확성이 떨어진다.	활동기준 원가계산 방식은 원가의 발생원인이 자원을 소비하는 활동이며, 제품이 활동을 소비하는 것으로 활동의 관리에 초점을 맞춘다. 이 방식은 제조간접원가와 배부 기준 간에 인과관계를 실질적으로 반영하여 계산하여 원가정보의 정확성이 높다.	활동기준 원가방식에서는 제조간접원가와 배부 기준 간에 인과관계가 높다.
원가배부기준과 배부대상	공장전체 배부율이나 제조부문별 원가배부율을 계산하여 제품에 원가를 배부한다.	활동별로 원가를 관리하고 활동별로 원가를 계산해서 제품에 원가를 배부함	활동기준원가계산방식은 활동별로 원가배부

전통적인 원가계산방식은 원가 동인이 제품이나 서비스라고 간주하여 원가를 관리하면서, 제품이나 서비스에 원가를 배부한다. 각 제품이나 서비스가 소비하는 자원에 대한 원가관리에 초점을 맞추어서, 원가정보의 정확성이 떨어진다. 공장전체 배부율이나 제조부문별 원가배부율을 계산하여 제품에 원가를 배부한다.

이에 반하여 활동기준 원가계산방식은 원가의 발생원인이 자원을 소비하는 활동이며, 제품이 활동을 소비하는 것으로 활동의 관리에 초점을 맞춘다. 이 방식은 제조간접원가와 배부 기준 간에 인과관계를 실질적으로 반영하여 계산하여 원가정보의 정확성이 높다. 활동별로 원가를 관리하고 활동별로 원가를 계산해서 제품에 원가를 배부한다.

3절 ▶ 활동기준 원가계산 개념과 활동원가동인

　활동기준 원가계산을 이해하기 위한 중요한 개념으로 제조활동에서 활동, 원가동인과 원가대상에 대한 개념을 이해해야 한다. 이 개념에 대한 내용을 살펴보면 [표 5.2]와 같이, 활동이란 제품을 제조하기 위하여 자원을 사용하여 가치를 창출하는 작업을 의미한다. 원가동인은 원가를 발생시키거나 발생 정도에 영향을 미치는 요인을 의미하며, 원가대상은 원가동인의 유형을 의미한다. 이에 대한 자세한 내용은 아래의 [표 5.2]~[표 5.3]과 같다.

[표 5.2] 활동기준원가계산의 기본 개념들

항목	주요 핵심내용	중요도
활동 이란?	활동이란 자원을 사용하여 가치를 창출하는 작업으로서 원가를 발생시키는 기본적인 분석단위이다. 제품을 생산하는 기업에서는 제품생산을 위해서 자원을 소비하는 구체적인 사건이나 거래를 말한다. 예 제품설계활동, 재료처리활동, 작업준비활동, 부품조립활동, 품질검사활동 등 활동기준 원가계산 방식에서는 활동원가를 그 발생 수준에 따라서, 단위수준활동, 묶음수준(batch)활동, 제품수준활동, 설비수준활동으로 구분하여 사용한다. 1. 단위수준활동은 생산량에 비례하여 발생하는 원가인 전력비, 수도료, 수선유지비 등 2. 묶음수준(batch)활동은 묶음단위로 작업하면서 발생하는 원가로서 10개 제품을 묶어서, 한 개의 로트(lot)단위로 운송하거나 구입하는 경우에 발생하는 원가, 묶음단위로 재료를 구입하는 경우에 발생하는 원가 묶음단위에서 발생하는 원가의 동인은 횟수나 건수 등을 원가동인으로 사용한다. 3. 제품수준활동은 제품의 개발, 유지, 개선을 하면서 발생하는 원가이다. 제품별로 일정하게 발생하는 원가로서 제품개발비이다. 제품개발비는 개발되는 제품종류 수에 비례해서 제품개발비가 증가한다. 개발된 제품종류 수를 제품수준활동의 원가동인으로 사용한다. 4. 설비수준활동은 사용하는 설비의 규모에 따라서 발생한다. 설비규모나 해당 면적이 설비수준활동의 원가동인으로 사용한다.	별7

원가동인은 원가를 발생시키거나 발생 정도에 영향을 미치는 요인을 의미한다. 활동 중심점별 원가동인은 활동이 원가를 소비하는 것과 직접적인 인과관계가 있는 것을 원 가동인으로 선택한다. 활동원가계산에서 원가동인은 활동원가를 발생시킨 활동의 수준 을 측정하는 지표이며, 활동원가의 배부기준이다.

원가동인의 유형으로는 거래건수동인, 기간동인, 직접동인 등으로 구분할 수 있다. 정확도는 직접동인, 기간동인, 거래건수 동인 순으로 높다. 원가동인에 대한 자세한 내 용은 [표 5.3]과 같이 자세히 설명할 수 있다.

[표 5.3] 활동기준원가계산의 기본 개념들

항목	주요 핵심내용	중요도
원가동 이란?	• 원가동인은 원가를 발생시키거나 발생 정도에 영향을 미치는 요인을 의미한 다. 활동중심점별 원가동인은 활동이 원가를 소비하는 것과 직접적인 인과관 계가 있는 것을 원가동인으로 선택한다. 활동원가계산에서 원가동인은 활동원 가를 발생시킨 활동의 수준을 측정하는 지표이며, 활동원가의 배부기준이다. • 원가동인의 유형으로는 거래건수동인, 기간동인, 직접동인 등으로 구분할 수 있다. 정확도는 직접동인, 기간동인, 거래건수 동인 순으로 높다.	별7
원가 대상	• 원가대상은 발생한 원가를 개별적으로 집계하여 배부하는 목적물을 말한다. **예** 제품, 서비스, 혹은 부문, 프로젝트, 고객, 활동 등도 원가대상이 될 수 있다.	별3

4절 ▶ 활동원가동인의 선택과 수준별 분류

활동중심별로 원가를 집계한 후에는 집계된 원가를 제품별로 배부하기 위해서는 활동원가동인을 선택해야 한다. 활동원가동인은 원가대상에 의해서 소비되는 활동의 양을 말한다. 활동원가 선택 시에는 활동별원가와 직접적인 인과관계가 있고, 쉽게 적용할 수 있어야 한다.

[표 5.4] 원가동인 유형들

원가 동인유형	원가동인 유형 내용	중요도
거래건 수동인	• 제품 간에 소요되는 시간이 동일하는 경우에는 수행될 활동의 횟수를 원가동인으로 삼는 것이다. • 제품 A와 B를 생산하는 기업에서 A작업을 위한 재료종류와 B작업을 위한 재료종류가 재료처리 주문횟수가 다른 경우에는 재료주문 횟수를 활동원가동인으로 선택한다. 　예 재료주문횟수, 작업준비횟수	별7
시간 동인	• 제품 간에 소요되는 시간이 동일하지 않은 경우에는 활동의 수행을 하기 위한 시간을 원가동인으로 삼는 것이다. • 제품 A와 B를 생산하는 기업에서 제품 A작업을 준비하는 시간과 제품 B작업을 준비하는 시간이 다른 경우에는 작업준비시간이 활동원가동인으로 선택하는 것이 더 합리적이다. 　예 작업준비시간, 검사시간	별7
직접 동인	• 제품 간에 서로 다른 자원이 소비되므로, 활동을 수행하는데 소요된 자원(원가)를 직접 인식하는 것이다. • 제품 A와 B를 생산하는 기업에서 제품 A작업을 위해서는 고급인력이 작업하고, 제품 B작업에서는 초급인력이 사용되는 경우에는 고급인력과 초급인력간의 급여차이가 달라서, 소요된 자원(급여)를 활동원가동인으로 선택하기 　예 특수정밀기계도입비용, 고급인력 초급인력의 월급비용	별3

원가동인의 유형으로는 [표 5.4]와 같이 거래건수동인, 시간동인, 직접 동인 등이 있다. 이러한 원가동인유형들의 자세한 내용의 설명은 아래와 같다.

활동원가계산에서 수준별로 원가를 분류하면 단위수준활동, 묶음(batch)수준활동, 제품수준활동과 설비수준활동으로 분류할 수 있다. 단위수준활동은 제품 한 단위가 생산하면서, 수행되는 활동으로서 제품생산량에 비례해서 발생하는 활동을 말한다. 묶음 (batch)수준활동은 여러 개의 제품을 모아서 묶음단위로 제품처리를 하는 것을 말한다.

[표 5.5] 수준별 활동과 원가동인 유형들

수준별 활동	활동 내용	활동종류	원가동인	중요도
단위 수준 활동	• 제품 한 단위가 생산될 때에 수행된 활동으로서, 제품생산량에 비례해서 발생하는 활동을 말한다. 예 기계작업활동, 노동(조립)활동, 품질검사(전수검사)활동	기계작업활동	기계작업시간	별5
		노동활동	노동시간	
		품질검사활동 (전수검사)	생산수량 (검사시간)	
묶음수준 (batch) 활동	• 여러 개의 제품을 모아서, 한 묶음 (batch) 단위로 제품을 생산하는 경우에 이루어지는 활동을 말한다. • 이러한 묶음수준활동과 관련한 원가는 처리된 묶음 수에 비례하여 원가가 발생함 예 10개나 100개를 한 개의 생산lot로 묶어서 생산 하는 경우	구매주문활동	주문횟수	별5
		재료이동 및 보관활동	재료이동횟수 (시간)	
		기계작업 준비활동	작업준비횟수 (시간)	
		품질검사활동 (표본검사)	품질검사횟수 (시간)	
		생산일정계획	생산가동횟수	
		선적활동	선적횟수	
제품수준 활동	• 제품수준 활동은 기업이 생산하는 제품라인을 유지하기 위하여 수행하는 활동 • 제품수준 활동과 관련된 원가는 제품종류의 수에 비례하여 원가가 발생한다. 예 제품개발활동, 제품개량활동, 설계변경활동, 제조임원활동 등	제품개발활동	제품개발시간	별3
		제품설계활동	제품설계시간	
		제품시험성능 검사활동	성능검사횟수 (시간)	
		제품설계 변경활동	제품설계 변경횟수	
		제조임원활동	매출액	
		생산계획 및 실적관리활동	매출액	
		품질관리활동	생산량	
		제품개발을 위한 전산시스템 개발활동	매출액	
설비수준 활동	• 공장의 일반적인 제조공정을 유지하고 관리하기 위하여 수행하는 활동 • 설비수준 활동원가는 전체 제조공정을 유지하는데 발생한 원가이다.	공장관리활동	경비원수	별2
		공장건물 감가상각비	점유면적	
		재무관리활동	매출액	

수준별 활동	활동 내용	활동종류	원가동인	중요도
	예 공장관리활동, 재무관리활동, 인사 관리활동, 총무일반활동, 산업안전 관리활동	인사관리활동	매출액	
		총무일반활동	매출액	
		산업안전관리활동	매출액	

　　제품수준활동은 기업이 제품을 생산하면서 제품라인을 유지하기 위하여 수행하는 활동을 말한다. 설비수준활동은 제조공장의 일반적인 제조공정을 유지하고 관리하기 위하여 발생되는 활동을 말한다. 이러한 활동들과 관련한 여러 활동들이 발생한다. 이러한 수준별 활동들의 제조원가를 계산하기 위한 원가동인들은 [표 5.5]와 같다. 이러한 수준별 활동들에서 제조원가를 계산하기 위하여 원가동인들은 인과관계에 의거하여 활동별 원가동인을 선택해서 계산한다.

5절   활동기준별 원가계산절차

기업체에서 활동기준원가계산을 사용하여 원가계산을 하기 위해서는 제품을 생산하는 기업인 경우에는 1단계로 제품생산에 필요한 활동들을 구분하고 분석해야 한다. 만일에 IT기업이나 서비스기업인 경우에는 서비스들을 제공하기 위한 활동들을 구분하고 분석해야 한다. 제조기업인 경우에서 활동들 중에는 기업이 생산하는 제품의 가치를 증가시키는 활동들과 제품에 가치를 증대시키지 못하고 회사의 자원만을 낭비하는 활동들이 있는지를 구분하여, 비부가가치 활동들은 가능한 제거하도록 사내의 활동들을 구분하고 분석한다.

활동분석단계가 끝나면 두 번째 단계로서 활동중심점 설정과 활동별 원가 집계 작업을 진행한다. 활동을 분석한 후에 활동별로 해당 활동을 구성하고 있는 세부구성에서 소비된 자원을 기준으로 원가를 계산하고, 그 계산된 원가를 활동원가로 집계한다.

그 다음의 3번째 단계로 활동중심점별 원가동인을 선택하도록 한다. 원가동인의 선택은 활동이 소비한 원가와 직접적인 인과관계가 높은 것을 원가동인으로 선택하는 것이 매우 중요하다. 다음 단계로는 활동중심점별 원가 배부율을 계산하고, 활동별원가를 제품별로 배부하도록 한다. 이에 대한 자세한 내용은 [그림 5.3]과 같다.

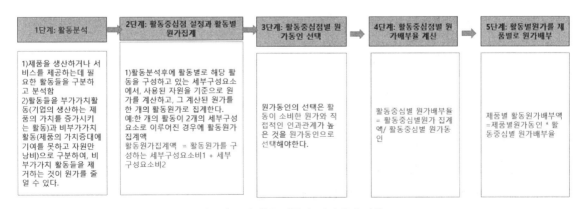

[그림 5.3] 활동기준별 원가계산 절차

6절 ▶ 활동기준별 원가계산방식의 효익과 장단점

6.1 활동기준별 원가계산방식을 사용하는 경우에 주요 효익

기업에서 발생한 제조간접비를 활동별로 구분하고 집계하여 활동중심별 원가 집계액을 만든다. 각 활동중심별 원가 집계 액을 제품이나 작업별로 추적할 수 있는 원가동인을 배부기준으로 삼아서 제품이나 해당 작업에 정확한 원가를 배분한다.

활동기준으로 원가를 계산함으로 제품구성이 변경되더라도, 신축적으로 원가계산이 가능하다. 정확한 원가계산이 가능하므로 , 제품의 가격결정, 수익성분석과 판매전략 수립 등과 같은 전략적 의사결정에 신속히 대처할 수 있다.

활동기준원가계산을 방식을 사용하는 경우에, 기업 내에 발생하는 활동들을 공정가치분석을 통해서 활동 중에서 비부가가치 활동을 제거할 수 있으며, 부가가치활동에 기업역량을 집중시킬 수 있어서, 기업의 수익을 극대 하는데 효익이 있다.

비재무적 측정치를 사용하여 성과평가로 사용할 할 수 있어서, 생산현장관리자와 의사소통을 원활하게 할 수 있으며, 기업을 효율적으로 운영하게 한다. 전통적인 원가계산방식은 원가나 이익 등의 재무적 측정치에 의존하여 성과평가를 하였으나, 활동기준 원가계산에서는 부품수, 품질검사시간, 작업준비횟수 등의 비재무적 측정치에 의하여 성과평가를 할 수 있다.

활동기준 원가계산방식은 제조부문의 원가계산 뿐만 아니라, 연구개발, 제품개발, 마케팅, 유통, 고객서비스 분야로 확대하여 원가를 계산할 수 있는 장점이 있다.

6.2 활동기준별 원가계산방식을 사용하는 경우에 한계점과 단점

활동기준 원가계산 방식을 사용하는 경우에, 활동을 명확히 정의하고 구분하는 기준이 존재하지 않기 때문에, 관리자의 주관적 판단에 의존하여 활동을 정의하고 구분한다. 활동분석을 실시하고 활동중심점별로 활동원가를 측정하는데, 시간과 비용이 많이 든다는 단점이 있다.

활동기준 원가계산방식에서 공장 냉난방비, 공장 감가상각비 등의 설비수준원가의 계산에서 정확한 원가동인을 파악하기 어려움으로 기계 가동시간이나 노동시간 등의 원가배부기준을 적용하여 계산해야하는 어려움이 있다.

활동기준원가계산을 방식을 사용하기 위하여 원가절감방안을 모색하다가 추가적인 활동원가를 발생시킬 수 있는 단점이 있다.

예를 들어서 작업준비 원가의 원가동인이 작업준비 횟수인 경우에 작업준비 원가를 절감시키려고, 묶음(batch)크기를 증가시켜서 생산하는 경우에는 불필요한 생산과잉이 발생시키는 단점이 있을 수 있다.

예제1) (주) 금융제조사는 제품L과 S를 생산하고 있다. ㈜금융제조사는 제품을 생산하는데 발생한 제
조간접비를 활동기준 원가계산 방식에 따라서 제품에 배부하려고 한다. 제품을 제조하기 위해
서는 제품설계활동, 재료처리활동, 작업준비활동, 기계작업 활동과 품질검사활동으로 구성되
었음을 확인하였다. 이러한 활동들을 기준으로 제품별 당기 총 제조원가를 계산하려고 한다.

[표 5.6]당기에 발생한 제조간접비

항목	간접노무비 (노무시간기준)	기계설비 감가상각비 (기계가동시간)	공장전력비 (사용전력량 기준)	총합
발생한 비용(원)	20,000	40,000	20,000	80,000

■ 각 활동을 구성하는 세부 구성 요소의 자원동인수

[표 5.7]각 활동을 구성하는 세부구성요소의 자원동인 수

활동유형	간접노무시간(시간)	기계가동시간(시간)	전력량 (kwh)
제품설계활동	20	40	10
재료처리활동	40	20	20
작업준비활동	40	80	30
기계작업활동	60	200	120
품질관리활동	40	60	20
합계	200	400	200

■ 각 활동을 구성하는 세부구성요소의 자원동인수

[표 5.8]각 활동을 구성하는 세부구성요소의 자원동인 수

활동유형	활동유형 별 특징
제품설계활동	제품설계 활동에서 제품L과 제품 S의 작업시간이 다르다.
재료처리활동	제품L과 S를 제조하기 위해서 묶음처리로 재료를 처리하고 있다. 제품L과 S의 재료처리 횟수가 다르다.
작업준비활동	제품L과 S를 제조하기 위한 작업 준비횟수가 다르다.
기계작업활동	제품L과 S를 생산하기 위한 기계작업 시간이 다르다.
품질관리활동	생산된 제품L과 S를 모두 조사하는데, 품질관리 시간이 다르다.

요구사항1: 제품설계활동, 재료처리활동, 작업준비활동, 기계작업활동, 품질관리활동을
　　　　　 해당수준별로 분류하시오.

요구사항2: 해당수준별 원가동인은 어떤 종류가 적합한지를 설명하시오.

요구사항3: 각 활동별 원가를 계산하시오

요구사항4: 각 활동별 원가를 집계하는 표를 작성하시오

풀이

1.제품설계활동에 대한 활동수준, 원가동인의 선택, 제품설계활동 원가 집계하기

1) 제품설계 활동에서는 제품 L과 S를 설계하는 작업을 수행하였다.

• 제품설계 활동에서는 제품L과 제품 S에 대한 설계 작업시간이 다르다.

• 제품 L은 중급제품이고 제품 S는 고급제품으로서 제품설계 시간이 다른 경우에는 원가동인은
　제품설계시간으로 선택하기

• 제품설계 활동은 제품수준 활동에서 제품별로 다르게 설계되므로 제품별로 수준을 구분하기

• 제품수준 활동인 제품설계 활동의 원가의 계산에서 설계되는 제품의 종류나 제품 설계시간에
　비례해서 제품수준 활동의 원가가 증가할 수 있다.

2) 제품설계 활동 원가 집계 금액 = 제품설계 간접노무비 + 제품설계기계가동비 + 제품설계 사용
　전력비

가. 제품설계 간접노무비 = 간접노무원가 * 제품설계노무시간/총노무시간 = 20,000 * 20/200 =
　2,000

나. 제품설계 기계가동비 = 기계설비 감가상각비 * 제품설계 기계가동시간/총기계가동시간 =
　40,000 * 40/400 = 4,000

다. 제품설계 전력비 = 공장전력비 * 제품설계 사용전력량/전체전력량 = 20,000 * 10/200 = 1,000
　제품설계 활동 원가 집계금액 = 2,000 + 4,000 + 1,000 = 7,000

2. 재료처리활동에 대한 활동수준, 원가동인의 선택, 재료처리 활동 원가 집계하기

1) 재료처리 활동에서는 제품 L과 S를 제조하기 위한 묶음처리로 재료를 처리하고 있다.

• 재료처리 활동에서는 제품L과 제품 S을 생산하기 위하여 묶음처리로 재료처리 횟수가 다르다.

• 제품 L은 중급제품이고 제품 S는 고급제품으로서 재료처리 횟수가 다른 경우에는 원가동인은
　재료처리횟수로 선택하기

• 재료처리 활동은 묶음처리를 하고 있어서, 묶음수준 활동으로 수준을 구분하기

• 묶음수준 활동인 재료처리 활동의 원가의 계산에서 재료의 이동횟수에 비례해서 원가가 증가할
　수 있다.

2) 재료처리 활동 원가 집계금액 = 재료처리간접노무비 + 재료처리기계가동비 + 재료처리사용전력비

가. 재료처리 간접노무비 = 간접노무원가 * 재료처리노무시간/총노무시간 = 20,000 * 40/200 = 4,000

나. 재료처리 기계가동비 = 기계설비감가상각비 * 재료처리기계가동시간/총기계가동시간 = 40,000 * 20/400 = 2,000

다. 재료처리 전력비 = 공장전력비 * 재료처리사용전력량/전체전력량 = 20,000 * 20/200 = 2,000

재료처리 활동 원가 집계금액 = 4,000 + 2,000 + 2,000 = 8,000

3. 작업준비 활동에 대한 활동수준, 원가동인의 선택, 작업준비 활동 원가 집계하기

1) 작업준비 활동에서는 제품 L과 S를 제조하기 위한 묶음처리로 처리하고 있다.

• 작업준비 활동에서는 제품L과 제품 S을 생산하기 위하여 묶음처리로 작업준비 횟수가 다르다.

• 제품 L은 중급제품이고 제품 S는 고급제품으로서 작업준비 횟수가 다른 경우에는 원가동인은 작업준비횟수로 선택하기

• 작업준비 활동은 묶음처리를 하고 있어서, 묶음수준활동으로 수준을 구분하기

• 묶음수준 활동인 작업처리 활동의 원가의 계산에서 작업준비 횟수에 비례해서 원가가 증가할 수 있다.

2) 작업준비 활동 원가 집계금액 = 작업준비 활동 간접노무비 + 작업준비 활동 기계가동비 + 작업준비활동 전력비

가. 작업준비 활동 간접노무비 = 간접노무원가 * 작업준비활동 노무시간/총노무시간 = 20,000 * 40/200 = 4,000

나. 작업준비활동 기계가동비 = 기계설비 감가상각비 * 작업준비활동 기계가동시간/총기계가동시간 = 40,000 * 80/400 = 8,000

다. 작업준비활동 전력비 = 공장전력비 * 작업준비활동 사용전력량/전체전력량 = 20,000 * 30/200 = 3,000

작업준비활동 원가 집계금액 = 4,000 + 8,000 + 3,000 = 15,000

4. 기계작업 활동에 대한 활동수준, 원가동인의 선택, 기계작업활동원가집계 하기

1) 기계작업 활동에서는 제품 L과 S를 제조하기 위한 기계작업시간으로 처리하고 있다.

• 기계작업 활동에서는 제품L과 제품 S을 생산하기 위하여 기계작업시간이 다르다.

• 제품 L은 중급제품이고 제품 S는 고급제품으로서 기계작업시간이 다른 경우에는 원가동인은 기계작업시간으로 선택하기

- 기계작업 활동은 단위수준활동으로 수준을 구분하여, 기계작업시간에 비례해서 원가가 증가할 수 있다.

2) 기계작업 활동 원가 집계금액 = 기계작업 활동 간접 노무비 + 기계작업 활동 기계가동비 + 기계작업활동 사용전력비

가. 기계작업 활동 간접노무비 = 간접노무원가 * 기계작업 활동 노무시간/총노무시간 = 20,000 * 60/200 = 6,000

나. 기계작업 활동 기계가동비 = 기계설비 감가상각비 * 기계작업 활동 기계가동시간/총기계가동시간 = 40,000 * 200/400 = 20,000

다. 기계작업 활동 전력비 = 공장전력비 * 기계작업 활동 사용 전력량/전체전력량 = 20,000 * 120/200 = 12,000

　　기계작업 활동 원가 집계금액 = 6,000 + 20,000 + 12,000 = 38,000

5. 품질관리활동에 대한 활동수준, 원가동인의 선택, 품질관리 활동 원가 집계하기

1) 품질관리 활동에서는 제품 L과 S를 제조하기 위한 품질관리를 하고 있다.

- 품질관리 활동에서는 제품L과 제품 S을 생산하기 위하여 품질관리 검사시간이 다르다.

- 제품 L은 중급제품이고 제품 S는 고급제품으로서 품질관리 검사시간이 다른 경우에는 원가동인은 품질관리검사시간으로 선택하기

- 품질관리 활동은 묶음수준활동으로 수준을 구분하여, 품질관리 검사시간에 비례해서 원가가 증가할 수 있다.

2) 품질관리 활동 원가 집계금액 = 품질관리 활동 간접노무비 + 품질관리활동기계가동비 + 품질관리활동사용전력비

가. 품질관리 활동 간접노무비 = 간접노무원가 * 품질관리활동노무시간/총노무시간 = 20,000 * 40/200 = 4,000

나. 품질관리활동 기계가동비 = 기계설비 감가상각비 * 품질관리활동 기계가동시간/총기계가동시간 = 40,000 * 60/400 = 6,000

다. 품질관리활동 전력비 = 공장전력비 * 품질관리활동 사용전력량/전체전력량 = 20,000 * 20/200 = 2,000

　　품질관리활동 원가 집계금액 = 4,000 + 6,000 + 2,000 = 12,000

■ 각 활동별 세부구성요소에 배분된 원가의 집계 표를 작성

[표 5.9] 각 활동별 원가를 집계한 표

활동유형	간접노무비	기계가동비	전력비	각 활동별 원가집계액	각 활동별 원가동인
제품설계활동	2,000	4,000	1,000	7,000	제품설계시간
재료처리활동	4,000	2,000	2,000	8,000	재료처리횟수
작업준비활동	4,000	8,000	3,000	15,000	작업준비횟수
기계작업활동	6,000	20,000	12,000	38,000	기계작업시간
품질관리활동	4,000	6,000	2,000	12,000	품질검사시간
합계	20,000	40,000	20,000	80,000	

예제2) 금융제조회사에서는 중급제품 L과 고급제품 S를 당기에 제조하여 판매하려고 있다. 활동원가계산방식을 사용하여 예제1에서 계산된 각 활동별로 집계된 원가 집계 액을 사용하여 제조원가를 계산하고, 제품에 배분할 예정이다.

[표 5.10] 각 활동별 원가를 집계한 표

활동유형	간접노무비	기계가동비	전력비	각 활동별 원가집계액	각 활동별 원가동인
제품설계활동	2,000	4,000	1,000	7,000	제품설계시간
재료처리활동	4,000	2,000	2,000	8,000	재료처리횟수
작업준비활동	4,000	8,000	3,000	15,000	작업준비횟수
기계작업활동	6,000	20,000	12,000	38,000	기계작업시간
품질관리활동	4,000	6,000	2,000	12,000	품질검사시간
합계	20,000	40,000	20,000	80,000	

가. 금융제조회사에서는 중급제품L과 고급제품 S를 다음과 같이 생산하여 판매하려고 생산계획을 세웠다.

[표 5.11] 제품 생산 계획

제품 생산 계획			
항목	중급제품 L	고급제품 S	합
총생산량(개)	200	400	600

나. 제품 1개당 제품판매 가격 및 제품 한 개당 발생 원가는 다음과 같다. 직접노무원가의
　시간당 임율은 10원/시간 이다.

[표 5.12] 제품 한 개당 판매가격 및 발생원가

항목	중급제품 L	고급제품 S	합
판매가격	200	270	470
직접재료원가	80	100	180
직접노무원가	20	10	30
직접노무시간(시간)	2	1	3

다. 예제1에서 계산된 각 활동별 원가집계표를 사용하고, 활동별로 선택된 원가동인수

[표 5.13] 각 제품별 활동원가와 선택된 원가동인수

활동유형	각 활동별 원가	활동별 원가 동인종류	중급제품 L(200개 생산)	고급제품 S (400개 생산)	각 활동별 원가동인
제품설계활동	7,000	제품설계시간 (시간)	30	40	70
재료처리활동	8,000	재료처리횟수 (회)	10	70	80
작업준비활동	15,000	작업준비횟수 (회)	5	10	15
기계작업활동	38,000	기계작업시간 (시간)	20	360	380
품질관리활동	12,000	품질관리시간 (시간)	4	8	12
합계	80,000				

- 각 활동별 원가동인은 아래와 같이 인과관계에 의해서 원가동인으로 선택하였다.
- 제품설계활동은 제품설계시간이 다르므로 원가동인은 제품설계시간으로 선택하기
- 재료처리활동은 묶음수준활동에서 제품별로 재료처리횟수를 원가동인으로 선택하기
- 작업준비활동은 묶음수준활동에서 제품별로 작업준비횟수를 원가동인으로 선택하기
- 기계작업 활동은 단위수준활동에서 제품별로 기계작업시간을 원가동인으로 선택하기
- 품질관리활동은 단위수준활동에서 제품별로 품질관리시간을 원가동인으로 선택하기

요구사항1: 활동 원가계산 방식으로 중급제품L과 고급제품S의 각제품별 단위당원가, 각
　　　　　제품별 단위당손익, 당기 총 제조원가를 계산하시오

요구사항2: 전통적인 계산방식으로 계산을 위해서 , 직접노무비를 기준으로 공장전체
　　　　　제조간접비를 배부하시오.

요구사항3: 전통적인 계산방식으로 계산을 위해서 , 직접노무비를 기준으로 공장전체 중
　　　　　급제품L과 고급제품S을 계산하고 당기총제조원가를 계산하시오

요구사항4: 전통적인 계산방식으로 각 제품별 단위당 원가, 각 제품별 단위당 손익을 계
　　　　　산하시오.

요구사항5: 활동원가계산방식과 전통적인 계산방식을 비교하시오.

풀이

요구사항 I.

활동별계산방식으로 각제품별 단위당원가, 각제품별 단위당손익, 제조원가를 계산하기

■ **활동별원가를 제품별로 원가배부하기**

가. 제품별로 제조원가 계산하기

- 활동중심별원가배부율 = 활동중심별 원가 집계액/활동중심별 원가동인수

- 제품별 활동원가 배부액 = 제품별원가동인 * 활동중심별 원가배부율

1) 제품설계활동 중심별 원가 배부율 = 제품설계활동 중심별 원가 집계액/활동중심별 원가동인수
　 = 7,000/70 = 100

- 중급제품L의 제품설계활동 원가 배부액 = 제품별 원가동인수 * 제품설계활동 원가배부율 = 30
　 * 100 = 3,000

- 고급제품S의 제품설계활동 원가 배부액 = 제품별 원가동인수 * 제품설계활동 원가배부율 = 40
　 * 100 = 4,000

2) 재료처리활동중심별 원가배부율 = 재료처리활동 중심별 원가집계액/활동중심별 원가동인수 =
　 8,000/80 = 100

- 중급제품L의 재료처리활동 원가배부액 = 제품별 원가동인수 * 재료처리활동 원가배부율 = 10
　 * 100 = 1,000

- 고급제품S의 재료처리활동 원가배부액 = 제품별 원가동인수 * 재료처리활동 원가배부율 = 70
　 * 100 = 7,000

3) 작업준비활동 중심별 원가배부율 = 작업준비활동 중심별 원가집계액/활동중심별 원가동인수 =
　 15,000/15 = 1,000

- 중급제품L의 작업준비활동 원가배부액 = 제품별 원가동인수 * 작업준비활동 원가배부율 = 5 * 1,000 = 5,000

- 고급제품S의 작업준비활동 원가배부액 = 제품별 원가동인수 * 작업준비활동 원가배부율 = 10 * 1,000 = 10,000

4) 기계작업활동 중심별 원가배부율 = 기계작업활동 중심별 원가집계액/활동중심별 원가동인수 = 38,000/380 = 100

- 중급제품L의 기계작업 활동 원가배부액 = 제품별 원가동인수 * 기계작업 활동 원가배부율 = 20 * 100 = 2,000

- 고급제품S의 기계작업 활동 원가배부액 = 제품별 원가동인수 * 기계작업 활동 원가배부율 = 360 * 100 = 36,000

5) 품질관리활동 중심별 원가배부율 = 품질관리활동 중심별 원가집계액/활동중심별 원가동인수 = 12,000/12 = 1,000

- 중급제품L의 품질관리활동 원가배부액 = 제품별 원가동인수 * 품질관리활동 원가배부율 = 4 * 1,000 = 4,000

- 고급제품S의 품질관리활동 원가배부액 = 제품별 원가동인수 * 품질관리활동 원가배부율 = 8 * 1,000 = 8,000

가. 중급제품 L의 총제조원가 계산하기

- 생산개수 = 200개인 경우

- 활동중심별 원가계산에 의한 중급제품L의 배부된 제조간접비 = 제품설계활동 원가배부액 + 재료처리활동 원가배부액 + 작업준비활동 원가배부액 + 기계작업 활동 원가배부액 + 품질관리활동 원가배부액 = 3,000 + 1,000 + 5,000 + 2,000 + 4,000 = 15,000

- 중급제품L에 배부된 한 개당 제조간접비 = 15,000/200 = 75

- 중급제품L의 한 개당 제조원가 = 직접재료비 + 직접노무비 + 제조간접비 = 80 + 20 + 75 = 175

- 중급제품L을 한 개 판매시 판매이익 = 판매가격 - 제품 한 개당 제조원가 = 200 - 175 = 25

- 중급제품 L을 200개를 생산하는 경우에 총제조원가 = 한 개당 제조원가 * 생산량 = 175 * 200 = 35,000

- 중급제품 L을 200개를 생산하여 200개를 모두 판매한 경우에 판매이익 = 25 * 200 = 5,000

나. 고급제품 S의 총제조원가 계산하기

- 생산개수 = 400개인 경우

- 활동중심별 원가계산에 의한 고급제품S에 배부된 제조간접비 = 제품설계활동 원가 배부액 + 재료처리활동 원가배부액 + 작업준비활동 원가배부액 + 기계작업 활동 원가배부액 + 품질관리활동 원가배부액 = 4,000 + 7,000 + 10,000 + 36,000 + 8,000 = 65,000

- 고급제품S에 배부된 한 개당 제조간접비 = 65,000/400 = 162.5

- 고급제품S의 한 개당 총 제조원가 = 직접재료비 + 직접노무비 + 제조간접비 = 100 + 10 + 162.5 = 272.5

- 고급제품S을 한 개 판매시 판매이익 = 판매가격 - 제품 한 개당 제조원가 = 270 - 272.5 = - 2.5

- 고급제품 S의 400개를 생산하는 경우에 총 제조원가 = 한 개당 총 제조원가 * 생산량 = 272.5 * 400 = 109,000

- 고급제품 S을 400개를 생산하여 400개를 모두 판매한 경우에 판매이익 = - 2.5 * 400 = - 1,000

요구사항2 - 4.
전통적인 방식으로 총 제조원가와 판매수익을 계산하기

- 전통적인 계산방식으로 총 제조원가를 계산하기 위해서 , 직접노무시간을 기준으로 공장전체 중급제품L과 고급제품S을 계산하고 중급제품과 고급제품으로 나누어서 총 제조원가를 계산하기

- 공장전체의 제조간접비는 예제 문제에서 80,000원으로 주어졌다.

- 공장전체직접노무시간 = 중급제품L을 200개를 제조하는데 드는 시간 + 고급제품S를 400개를 제조하는데 드는 시간 = 2시간/개 * 200 + 1시간/개 * 400 = 800시간

- 직접 노무 시간을 기준으로 공장전체의 제조간접비 비율 = 공장전체 제조간접비 80,000/ 공장전체직접노무시간 800 = 100원/시간

- 중급제품L을 한 개 생산하는데 드는 제조간접비용 = 2시간 * 100원/시간 = 200원

1) 중급제품L의 한 개당 총 제조원가 = 직접재료비 + 직접노무비 + 제조간접비 = 80 + 20 + 200 = 300

- 중급제품L을 한 개판매시 판매이익 = 판매가격 - 제품 한 개당 제조원가 = 200 - 300 = - 100

- 중급제품 L을 200개를 생산하는 경우에 총 제조원가 = 한 개당 총 제조원가 * 생산량 = 300 * 200 = 60,000

- 중급제품 L을 200개를 생산하여 200개를 모두 판매한 경우에 판매이익 = - 100 * 200 = - 20,000

2) 고급제품S를 계산하기

- 고급제품S을 한 개 생산하는데 드는 제조간접비용 = 1시간 * 100원/시간 = 100원

- 고급제품S의 한 개당 총 제조원가 = 직접재료비 + 직접노무비 + 제조간접비 = 100 + 10 + 100 = 210

- 고급제품L을 한 개판매시 판매이익 = 판매가격 - 제품 한 개당 제조원가 = 270 - 210 = 60

- 고급제품 S을 400개를 생산하는 경우에 총 제조원가 = 한 개당 제조원가 * 생산량 = 210 * 400 = 84,000

- 고급제품 S을 400개를 생산하여 400개를 모두 판매한 경우에 판매이익 = 60 * 400 = 24,000

■ 활동기준 계산방식과 전통적인 방식의 비교 분석하기

1) 단위당 판매수익을 활동기준으로 계산 경우와 전통적인 방법으로 계산한 경우 비교분석

[표 5.14]활동기준 계산방식과 전통적인 방식의 비교분석

항목	활동기준으로 단위당 원가계산		전통적인 방식으로 단위당 원가계산	
제품종류	중급제품L	고급제품 S	중급제품L	고급제품 S
단위당판매가격	200	270	200	270
단위당직접재료비	80	100	80	100
단위당 직접노무비	20	10	20	10
단위당제조간접비	75	162.5	200	100
단위당 제조원가	175	272.5	300	210
단위당 이익	25	- 2.5	- 100	60

- 분석내용

활동기준 원가에서는 단위당 중급제품 L에서 25원의 수익이 발생하고 전통적인 방법에서 중급제품 L에서 100원이 손실이 발생한다. 활동기준 원가에서는 고급제품 S에서 2.5이 손실이 발생하는 반면에 전통적인 방법에서 고급제품 S에서는 60원이 이익이 발생한 것으로 계산된다. 경영자의 입장에서 활동원가 기준으로 원가를 계산한다면, 중급제품 L에서 수익이 많이 발생해서, 중급제품을 많이 생산하여 판매하려고 할 것이다.

그런데, 전통적인 원가계산 방식을 사용했다면, 고급제품에서 수익이 많이 발생하는 것으로 예측되어서, 고급제품을 많이 생산하여 판매하려는 오류가 발생할 것이다.

2) 중급제품 L를 200개, 고급제품 S를 400개 생산 판매하는 경우에 활동기준과 전통적인 원가계
산 방식의 비교분석

[표 5.15] 활동기준계산방식과 전통적인 방식의 비교분석

항목	활동기준으로 단위당 원가계산		전통적인 방식으로 단위당 원가계산	
제품종류	중급제품L	고급제품 S	중급제품L	고급제품 S
단위당판매가격	200	270	200	270
생산수량	200	400	200	400
직접재료비	16,000	40,000	16,000	40,000
직접노무비	4,000	4,000	4,000	4,000
제조간접비	15,000	65,000	40,000	40,000
제조원가	35,000	109,000	60,000	84,000
제품별 이익	5,000	- 1,000	- 20,000	24,000

• 분석내용

활동기준원가에서는 중급제품 L를 200개를 생산하여 판매한 경우에는 5,000원이 이익이 발생하
고 전통적인방법에서 중급제품 L에서 20,000원이 손실이 발생한다.

활동기준 원가에서는 400개를 생산하여 판매한 고급제품 S에서 1,000원이 손실이 발생하는 반면
에 고급제품 S에서는 24,000원이 이익이 발생한 것으로 계산된다.

경영자의 입장에서 활동원가 기준으로 원가를 계산한다면, 중급제품 L에서 수익이 많이 발생해서,
중급제품을 많이 생산하여 판매하려고 할 것이다.

그런데, 전통적인 원가계산방식을 사용했다면, 고급제품에서 수익이 많이 발생하는 것으로 예측
되어서, 고급제품을 많이 생산하여 판매하려는 오류가 발생할 것이다.

제6장
종합원가계산

종합원가계산은 당기에 발생한 원가를 공정별로 집계하는 원가로서, 동일한 종류의 제품을 계속적으로 대량생산하는 연속생산형태의 기업에 적용된다. 둘 이상의 제조공정을 통해 생산하므로, 원가를 제조공정별로 구분하여 집계하면, 정확한 제품의 원가를 구할 수 있다. 적용산업으로는 대량 연속 생산형 산업에서 제조공정별로 원가를 집계한다. 종합원가 계산방식을 주로 사용하는 산업으로는 정유업, 화학공업, 금속공업, 제지업, 시멘트업 등에서 사용되고 있다.

1절 ▶ 종합원가계산과 개별원가계산의 비교

[표 6.1] 종합원가계산과 개별원가계산의 비교

항목	종합원가계산방식	개별원가계산방식	중요도
개념	당기에 발생한 원가를 공정별로 집계하는 원가로서, 동일한 종류의 제품을 계속적으로 대량생산하는 연속생산형태의 기업에 적용된다. 둘 이상의 제조공정을 통해 생산하므로, 원가를 제조공정별로 구분하여 집계하면, 정확한 제품의 원가를 구할 수 있다.	개별원가계산의 생산형태로는 고객의 주문에 따라 개별적으로 제품을 생산하는 주문생산형태의 기업에 적합하다. 개별원가계산방법은 제품원가를 개별작업별로 구분하여 집계한 다음, 이를 그 공정별로 나누어서 제품단위당원가를 계산한다.	별5
산업종류	정유업, 화학공업, 금속공업, 제지업, 시멘트업	조선업, 건축업, 기계제작업, 항공기산업	별5
제조원가 계산공식	당기 총 제조원가 = 직접재료비 + 가공비 ※ 가공비 = 직접노무비 + 제조간접비 당기 총 제조원가를 계산할 때에 종합원가에서는 직접노무비와 제조간접비를 한꺼번에 모아서 가공비로 묶어서 계산한다. 종합원가계산에서는 공정별로 대량생산하는 경우에 사용하는 원가계산방식으로 직접노무비와 제조간접비를 구분해서 계산하기가 매우 어렵다. 그래서 이것을 한꺼번에 모아서 가공비로 계산한다.	당기 총 제조원가 = 직접재료비 + 직접노무비 + 제조간접비 ※ 당기총제조원가를 계산할 때에는 개별원가 계산방식에서는 직접노무비와 제조간접비를 따로 나누어서 계산한다.	별7

소품종의 제품을 대량생산하는 제조업에서는 종합원가계산방식을 사용하여 제조원가를 계산한다. 이에 반하여 고객의 주문에 의해서 제품을 제조하면서 개별 작업별로 제조원가를 계산하는 개별원가 계산방식의 차이점을 살펴보면, [표 6.1]과 같다. 종합원가 계산에서는 제조원가를 직접재료비와 가공비로 나누어서 제조원가를 계산한다. 가공비에는 직접노무비와 제조간접비를 가공비로 묶어서 계산한다. 종합원가계산에서는 공정별로 대량생산하는 경우에 직접노무비와 제조간접비를 구분해서 계산하기가 매우 어렵다. 그래서 이것을 한꺼번에 모아서 가공비로 계산한다. 이에 비하여 개별원가계산 방식에서는 제조원가는 직접재료비, 직접노무비와 제조간접비로 나누어서 제조원가를 계산한다.

종합원가계산 방식은 동일한 제품들을 연속적이고 반복적으로 대량생산하므로, 생산량 파악이 어렵다. 인위적으로 월별, 분기별로 원가계산기간을 설정하여 발생된 생산량과 총 제조원가를 계산하여 제품의 단위당 원가를 계산한다. 이 종합원가계산 방식의 특성들을 살펴보면 아래와 같이 요약할 수 있다.

■ **종합원가계산 방식의 특성**

1) 동일한 제품을 연속적이고 반복적으로 대량생산이 이루어져서, 생산량 파악이 어려워 인위적으로 월별, 분기별로 원가계산기간을 설정하여 발생된 생산량과 총 제조원가를 구하여 제품에 대한 원가를 계산한다.

2) 동일공정에서 제조된 제품들은 동질적인 것으로 제조된 것으로 판단해서, 각 제품의 단위당 원가를 평균법이나 선입선출법으로 계산한다.

3) 종합원가계산에서 제조원가의 계산에서는 재료원가는 특정시점에 일시에 투입된다고 가정하고, 직접노무비와 제조간접비를 구분하지 않고 가공원가로 묶어서 계산한다. 즉, 총 제조원가는 다음 식과 같이 직접재료비와 가공비의 합으로 계산한다. 총 제조원가 = 직접재료비 + 가공비로 계산한다.

4) 종합원가계산에서는 공정별로 제조원가 보고서가 작성되어서, 원가관리, 원가통제, 성과평가가 쉽게 할 수 있다.

5) 종합원가계산에서는 제품을 연속적으로 대량생산을 하므로, 제조간접원가를 가공원가를 통해서 제품에 동일하게 배부한다.

종합원가계산방식에서 사용되는 중요한 용어들은 [표 6.2]~[표 6.3]과 같이 설명할 수 있다.

[표 6.2] 종합원가계산에서 중요 용어들

항목	중요용어 설명	중요도
완성품	재료원가 100%와 가공원가 100%가 투입되어서 100% 제조가 완성된 제품	별5
미완성품 (재공품)	제품이 미완성인 상태로서 재료원가나 가공원가 중에서 100% 투입이 안 되어서, 미완성 상태인 제품(재공품)	별5
완성품수량	완성된 제품의 수량	별5

완성품원가는 대량으로 제품을 생산하는 제조공정에서 재료원가 100%와 가공원가 100%가 투입되어서 100% 제조가 완성된 제품 상태를 말한다. 미완성품인 재공품인 경우는 제품이 미완성인 상태로서 재료원가나 가공원가 중에서 100% 투입이 안 되어서, 미완성 상태인 제품으로 제품수량에 완성도를 곱하면, 그제품의 완성품 환산량을 계산할 수 있다. 완성품수량은 제품으로 완성된 제품의 수량을 의미한다.

[표 6.3] 종합원가 계산에서 중요 용어들

항목	중요용어 설명	중요도
완성품 환산량	제품제조원가는 재료원가와 가공원가로 구성되는데, 제품이 얼마나 완성되었는지를 나타낸다. 완성품환산량 = 작업수량 * 완성도(진척도) 예) 당기에 600개를 착수해서 400개를 완성했고, 기말재공품으로 200개가 생산되었다. 기말재공품의 완성도는 40%가 완성된 경우 풀이: 1) 당기착수 완성품수량 　　　　당기에 총작업량 600개 중에서 400개의 완성(진척도)가 100%인 경우로 완성한 경우에 완성품환산량? 　　　　완성품 환산량 = 400 * 100% = 400개 　　　　기말재공품 완성품 환산량 = 200 * 0.4 = 80개 　　　　총 완성품 환산량 = 400 + 80 = 480개 1) (직접)재료원가 완성품 환산량 : 　　　　재료원가는 제조공정의 시작시점인 특정시점에 재료비가 일시에 모두 투입되는 경우가 많다. 재공품과 완성품의 재료원가를 공정이 시작시점에 재	별7

항목	중요용어 설명	중요도
	료를 전부 투입하는 경우에는 재료원가 완성도100%로 계산한다. 완성품 환산량 = 작업수량 * 재료원가완성도(진척도) (직접)재료원가 완성품 환산량 = 작업수량 * (직접)재료원가 완성도(진척도) 주로 공정 시작할 때에 재료를 전량 투입하므로 대부분의 재료원가의 완성도는 100%로 잡는다. 2) 가공원가 완성품 환산량 가공원가는 공정전반에 걸쳐서 균등하게 발생하므로, 재공품의 완성도는 가공 진척 도에 따라서 가공원가 완성품 환산량이 결정된다. 완성품 환산량 = 작업수량 * 완성도(진척도) 가공원가 완성품 환산량 = 작업수량 * 가공원가 완성도(진척도)	

종합원가계산방식에서는 제품의 제조원가를 직접재료비와 가공비를 더해서 계산한다. 이 경우에 제품이 얼마나 완성되었는지를 나타내기 위해서 완성품 환산량은 아래와 같이 계산한다.

> 완성품 환산량 = 작업수량 * 완성도(진척도)

제품이 제조상태인 작업수량에 현재 제품의 완성도 혹은 진척도 라고 불리는 값을 곱하면 그 제품의 완성품 환산량을 구할 수 있다.

제품의 구성은 (직접)재료비와 가공비로 구성되므로 완성품 환산량도 (직접)재료원가 완성품 환산량과 가공원가완성품 환산량으로 나누어서 계산하는 것이 좋다. 재료원가는 제조공정의 시작 시점인 특정시점에 재료비가 일시에 모두 투입되는 경우가 대부분이다. 재공품과 완성품의 재료원가를 공정이 시작 시점에 재료를 전부 투입하는 경우에는 재료원가 완성도100%로 계산한다.

> 완성품 환산량 = 작업수량 * 재료원가완성도(진척도)
> (직접)재료원가완성품 환산량 = 작업수량 * (직접)재료원가 완성도(진척도)

주로 공정 시작할 때에 재료를 전량 투입하므로 대부분의 재료원가의 완성도는 100%로 잡는다.

이에 비해서 가공원가 완성품 환산량을 계산할 때에는 가공원가는 공정전반에 걸쳐서 균등하게 발생하므로, 재공품의 완성도는 가공 진척 도에 따라서 가공원가 완성품 환산량이 결정되어서 아래와 같이 계산한다.

완성품 환산량 = 작업수량 * 완성도(진척도)

가공원가 완성품 환산량 = 작업수량 * 가공원가 완성도(진척도)

2절 종합원가계산 절차

종합원가계산은 재료를 제조공정에 투입해서 대량의 제품을 제조하는 산업체에서 사용한다.

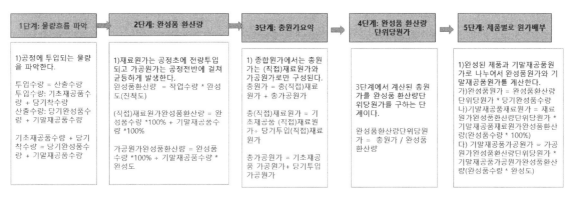

[그림 6.1] 종합원가계산 절차

종합원가계산방식에서 제조원가를 계산하기 위해서는 [그림 6.1]에서처럼 1단계에서 공정에 투입되는 물량을 파악한다. 공정에 투입되는 물량과 산출되는 수량은 같아서 기초재공품 수량에 당기 착수량을 더하면, 당기완성품수량과 기말 재공품 수량과 같아진다. 2단계에서는 작업수량에 완성도를 곱해서 완성품 환산량을 계산한다. 종합원가계산에서 재료원가는 공정초에 전량 투입되므로, (직접)재료원가 완성품 환산량은 완성품수량에 100%를 곱하고, 기말 재공품수량에도 100%를 곱해서 (직접)재료원가 완성품 환산량을 구한다. 가공원가완성품 환산량은 완성품수량에 100%를 곱하고, 기말 재공품수량에는 완성도를 곱해서 구한다. 종합원가에서는 총원가는 (직접)재료원가와 가공원가로만 계산한다. 가공원가는 직접노무비와 제조간접비의 합으로 계산된다. 총(직접)재료원가는 기초재공품(직접)재료원가에 당기투입(직접)재료원가를 합하여 계산한다. 총가공원가는 기초재공품가공원가에 당기투입가공원가를 합하여 계산한다.

4단계에서는 3단계에서 계산된 총원가를 완성품 환산량으로 나누어서 완성품 환산량 단위당원가를 계산한다. 5단계에서는 4단계에서 계산된 완성품 환산량 단위당원가를 가지고 제품별로 원가를 배부하도록 한다.

올해 2월1일에 창업한 금일제조회사는 단일제품을 대량생산하고 있다. 2월1에 2,000개를 착수하여 1,600개를 완성하였고, 기말재공품의 수량은 400개이고, 완성도는 40%이다. 제품제조를 위한 원재료는 공정초에 전략 투입되었고, 가공원가는 공정전반에 걸쳐서 균등하게 발생한 것으로 가정하여 2월 달의 재료 원가 완성품 환산량과 가공원가 완성품 환산량을 계산하시오.

풀이 1) 재료원가는 공정초에 전량 투입되므로 완성도는 100%임

(직접)재료 원가완성품 환산량 = 작업수량 * (직접)재료원가 완성도(진척도)

(직접)재료 원가완성품 환산량 = 완성제품 완성수량 * 100% + 기말 재공품품수량 * 100% = 1,600 * 1 + 400 * 1 = 2,000

2) 가공원가는 공정전반에 균등하게 발생하는 경우에

(직접)가공원가 완성품 환산량 = 작업수량 * 가공원가 완성도(진척도)

가공원가 완성품 환산량 = 완성제품 완성수량 * 100% + 기말재공품품수량 * 40% = 1,600 * 1 + 400 * 0.4 = 1,600 + 160 = 1,760

3절 **종합원가 계산에서 평균법**

3.1 평균법이란?

평균법은 당월에 완성된 제품은 그것이 월초 재공품으로부터 완성된 제품인지, 당월 착수하여 완성된 제품인지 구분하지 않고 모두 당월에 착수하여 완성된 것으로 가정하여 월말 재공품원가를 계산하는 방법이다.

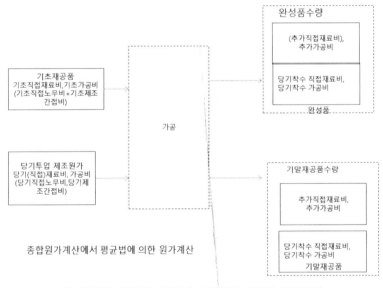

종합원가계산에서 평균법에 의한 원가계산

[그림 6.2] 종합원가계산에서 평균법에 의한 원가계산

종합원가계산에서 평균법에 의한 원가 계산방식의 개념은 [그림 6.2]처럼 당기에 기초재공품재고액에 당기에 투입된 원재료, 노무비와 제조간접비를 사용하여 가공 처리 후에 투입되어서 완성품이 되거나 기말 재공품으로 남는다.

종합원가계산방식에서 평균법으로 제조원가를 계산하는 방식의 큰 특징은 가공에서 순서를 따지지 않고 제조원가를 계산한다. 즉, 제품이 완성되어 완성품으로 된 경우에, 직접재료비가 기초재공품에서 온 것인지, 아니면 당기투입제조원가에서 온 것인지를 따지지 않고 평균적으로 계산하는 방식이다. 평균법에 의한 원가계산방식은 아래의 [그림 6.3]처럼 처리된다.

3.2 평균법의 계산 절차

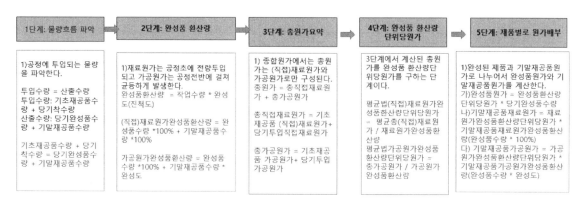

[그림 6.3] 평균법에 의한 원가계산 절차

평균법 원가계산의 수행절차는 [그림 6.3]에서 보여 지는 것처럼 처리된다. 1단계에서는 공정에 투입되는 물량을 파악한다. 공정에 투입되는 물량과 산출되는 수량은 같아서 기초재공품 수량에 당기 착수량을 더하면, 당기완성품수량에 기말 재공품 수량을 더한 값과 같아진다. 2단계에서는 작업수량에 완성도를 곱해서 완성품 환산량을 계산한다. 종합원가계산에서 재료원가는 공정초에 전량 투입되므로, (직접)재료원가완성품 환산량은 완성품수량에 100%를 곱하고, 기말 재공품 수량에도 100%를 곱해서 (직접)재료원가완성품 환산량을 구한다. 가공원가완성품 환산량은 완성품수량에 100%를 곱하고, 기말재공품 수량에는 완성도를 곱해서 구한다. 종합원가에서는 총원가는 (직접)재료원가와 가공원가로만 계산한다. 가공원가는 직접노무비와 제조간접비의 합으로 계산된다. 총(직접)재료원가는 기초재공품(직접)재료원가에 당기투입(직접)재료원가를 합하여 계산한다. 총 가공원가는 기초재공품가공원가에 당기투입가공원가를 합하여 계산한다.

평균법의 4단계인 완성품 환산량 단위당 원가에서는 3단계에서 계산된 평균법(직접)재료원가 완성품 환산량 단위당원가는 평균법총(직접)재료원가를 재료원가 완성품환산량으로 나누어서 계산한다. 평균법(직접)가공원가 완성품 환산량 단위당 원가는 평균법 총 가공원가를 가공원가 완성품 환산량으로 나누어서 계산한다. 마지막단계에서 제품별로 원가를 배부할 때에는 완성된 제품과 기말 재공품원가로 나누어서 완성품원가와 기말 재공품원가를 계산한다. 완성품원가는 완성품 환산량 단위당원가에 당기완성품수량을 곱해서 구한다. 기말 재공품 재료원가는 재료원가 완성품 환산량 단위당 원가에 기말 재공품 재료 원가완성품 환산량을 곱하여 계산한다. 기말 재공품 재료원가는 산업체에서 공정을 시작 초에 재료를 전량 투입된다고 가정하므로 완성품수량에 100%를 곱하여 계산한다. 기말 재공품 가공원가는 가공원가 완성품환산량 단위당 원가에 기말 재공품 가공원가완성품 환산량을 곱해서 계산한다.

■ 평균법을 사용한 종합원가계산에서 예제

올해 3월1일에 창업한 금일제조회사는 단일제품을 대량생산하고 있다. 3월1에 3,000개를 착수하여 2,400개를 완성하였고, 기말재공품의 수량은 600개이고, 완성도는 70%이다. 제품제조를 위한 원재료는 공정초에 전부 투입되었고, 가공원가는 공정전반에 걸쳐서 균등하게 발생한 것으로 가정하였다. 평균법에 의하여 3월 달의 재료 원가완성품 환산량과 가공원가 완성품 환산량을 계산하시오.

풀이 기초:　　　　　　　　　　기말:

기초재공품 수량 = 0개　　　　　완성품수량 = 2,400개

당기 착수량 = 3,000개　　　　　기말재공품수량 = 600개

당기착수 (직접)재료비는 공정초기에 일시에 전량투입(가공원가완성도 70%)

당기착수 가공원가는 공정전반에 균등하게 발생

1단계:

투입수량(기초재공품수량 + 당기착수량) = 산출수량(당기완성품수량 + 기말재공품수량)

0 + 3,000 = 2,400 + 600

2단계:

평균법총(직접)재료 원가완성품 환산량 = 당기(직접)재료 원가완성품 환산량(당기완성품수량) + 기말재공품(직접)재료 원가완성품 환산량 = 당기완성품수량 + 기말재공품수량 * 기말재공품(직접)재료원가완성도 = 2,400 + 600 * 100% = 3,000

평균법 총 가공원가 완성품 환산량 = 당기 가공원가 완성품 환산량(당기완성품수량) + 기말재공품가공원가완성품 환산량 = 당기완성품수량 + 기말재공품수량 * 기말재공품가공원가 완성도 = 2,400 + 600 * 0.7 = 2,820

올해 5월1일에 창업한 금일제조회사는 단일제품을 대량생산하고 있다. 5월1에 3,000개를 착수하여 2,400개를 완성하였고, 기말재공품의 수량은 600개이고, 완성도는 70%이다. 제품제조를 위한 원재료는 공정초에 전부 투입되었고, 가공원가는 공정전반에 걸쳐서 균등하게 발생한 것으로 가정하였다. 재료비는 6,000,000원이 발생했고, 가공비는 2,820,000원이 발생했다. 평균법에 의하여 5월 달의 재료 원가 완성품 환산량과 가공원가 완성품 환산량을 계산하시오. 제조원가보고서, 완성품 환산량 단위당원가와 총 제조원가를 구하시오.

풀이 기초: 기말:

기초재공품수량 = 0개   완성품수량 = 2,400개

당기착수량 = 3,000개   기말재공품수량 = 600개

당기착수(가공원가완성도 70%)

(직접)재료비6,000,000원은 공정초기에 일시에 전량투입

당기착수 가공원가 2,820,000원은 공정전반에 균등하게 발생

1단계:

투입수량(기초재공품 수량 + 당기 착수량) = 산출수량(당기완성품수량 + 기말 재공품 수량)

0 + 3,000 = 2,400 + 600

2단계:

평균법 총(직접)재료 원가 완성품 환산량 = 당기(직접)재료원가 완성품 환산량(당기완성품수량) + 기말재공품(직접)재료 원가 완성품 환산량 = 당기완성품수량 + 기말 재공품 수량 * 기말 재공품(직접)재료원가완성도 = 2,400 + 600 * 100% = 3,000

평균법 총 가공원가 완성품 환산량 = 당기가공원가 완성품 환산량(당기완성품수량) + 기말재공품 가공원가완성품 환산량 = 당기완성품수량 + 기말재공품 수량 * 기말재공품 가공원가 완성도 = 2,400 + 600 * 0.7 = 2,820

3단계:

평균법총(직접)재료원가 = 기초재공품(직접)재료원가 + (당기)투입(직접)재료원가

= 0 + 6,000,000 = 6,000,000

평균법총가공원가 = 기초재공품가공원가 + 당기투입가공원가 = 0 + 2,820,000 = 2,820,000

4단계:

평균법(직접)재료원가완성품환산량단위당원가 = 총(직접)재료원가/재료원가완성품환산량

$$= 6,000,000/3,000 = 2,000$$

평균법가공원가완성품환산량단위당원가 = 총가공원가/가공원가완성품환산량

$$= 2,820,000 / 2,820 = 1,000$$

5단계:

평균법 완성품 환산량 단위당원가 = 평균법(직접)재료원가 완성품 환산량 단위당원가 +

평균법 가공원가완성품 환산량 단위당원가 = 2,000 + 1,000 = 3,000

총완성품원가 = 평균법 완성품 환산량 단위당원가 * (당기)완성품수량

$$= 3,000 * 2,400 = 7,200,000$$

평균법 기말재공품원가 　= 평균법 기말재공품(직접)재료원가 + 평균법 기말재공품 가공

원가

= (직접)재료원가 완성품 환산량 단위당원가 * 기말재공품(직

접)재료원가 완성품 환산량 + 가공원가 완성품 환산량단위당

원가 * 기말재공품 가공원가 완성품환산량

= 2,000 * (600 * 100%) + 1,000 * (600 * 0.7) = 1,200,000 +

420,000 = 1,620,000

총(직접)재료원가 = (직접)재료원가완성품원가 + 기말재공품(직접)재료원가

= (직접)재료 원가 완성품환산량 단위당원가 * 당기완성품수량 + (직

접)재료원가 완성품 환산량 단위당원가 * 기말재공품(직접)재료원가

완성품 환산량

= 2,000 * (2,400 * 100%) + 2,000 * (600 * 100%) = 6,000,000

총가공원가 = 가공원가완성품원가 + 기말 재공품 가공원가

= 가공원가 완성품 환산량 단위당원가 * 당기완성품수량 + 가공원가 완성품

환산량 단위당원가 * 기말 재공품 가공원가 완성품 환산량

= 1,000 * (2,400 * 100%) + 1,000 * (600 * 70%) = 2,820,000

당기총제조원가 = 총(직접)재료원가 + 총가공원가

= 총완성품원가 + 총기말재공품원가

= 6,000,000 + 2,820,000 = 7,200,000 + 1,620,000 = 8,820,000

- 금일제조회사 제조원가명세서(2020년5월1일 - 5월30일)

위에서 평균법을 사용한 종합원가 계산을 1단계에서 5단계까지 계산된 내용을 토대로 금일 제조회사의 제조원가명세서를 작성한다.

금일제조회사 제조원가명세서(2020년5월1일 - 5월30일)				
	[1단계]	[2단계] 완성품 환산량		합계
	물량흐름	재료원가	가공원가	
기초재공품	-			
당기착수량(개)	3,000			
당기완성품(개)	2,400	2,400	2,400	
기말재공품(개)	600(70%)	600	420	
[3단계]				
총원가의 요약				
기초재공품원가		-	-	
당기투입원가		6,000,000	2,820,000	8,820,000
완성품환산량		3,000	2,820	
[4단계] 완성품환산량단위당원가		2,000	1,000	3,000
완성품원가	2,000 * 2,400 + 1,000 * 2,400 = 7,200,000			
기말재공품원가	2,000 * 600 + 1,000 * 600 * 0.7 = 1,620,000			
제조원가 총합계	8,820,000			

4절 종합원가계산에서 선입선출법

4.1 선입선출법이란?

　선입선출법의 원가계산에서는 당월에 완성된 제품은 월초 재공품으로 부터 완성된 제품으로 계산한다. 선입선출방법에서는 먼저 들어온 것이 먼저 제조하고 나가야하는 것이므로, 완성된 제품은 기초에 재공품으로 있던 것이 가장 먼저 제품으로 제조된다. 그 다음에 당월에 추가로 착수하여 완성된 제품인지 구분하고, 완성품원가와 월말 재공품원가를 계산하는 방법이다. 선입선출법에 의한 원가계산절차들은 [그림 6.4]~[그림 6.5]와 같다.

　종합원가계산에서 선입선출법으로 원가를 계산하는 방법은 평균법으로 원가를 계산하는 방법보다는 복잡하다. 1단계의 물량흐름 파악단계는 평균법에서 사용했던 방식과 유사하다. 우선 공정에 투입되는 물량을 파악한다. 기초재공품은 당기에 가장 먼저 완성되는 것으로 계산하며, 당기완성품은 기초재공품 완성품과 당기착수 완성품으로 구성되었다고 가정하여 계산한다. 투입수량은 평균법에서 계산했던 방식과 동일하게 산출수량과 같은 값을 갖는다. 투입수량은 기초재공품 수량과 당기 착수량으로 구성되며, 산출수량은 당기완성품수량과 기말 재공품 수량으로 구성된다.

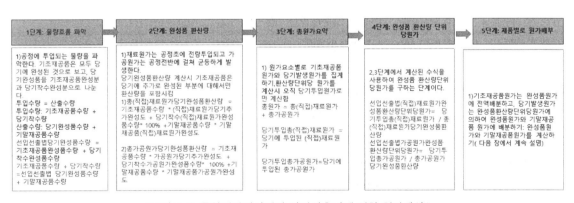

[그림 6.4] 종합원가계산에서 선입선출법에 의한 원가계산1

5단계: 제품별로 원가배부
기초재공품원가는 완성품원가에 전액 배분하고, 당기발생원가는 완성품환산량단위당원가에 의하여 완성품원가와 기말재공품 원가에 배분하기: 완성품원가와 기말재공품원가를 계산하기 1) 선입선출법기초재공품총(직접)재료원가 = 기초재공품(직접)재료원가 + 당기추가된기초재공품(직접)재료원가 2) 선입선출법(직접)재료비완성품원가 = 기초재공품총(직접)재료원가 + 당기착수완성품(직접)재료원가 = (기초재공품(직접)재료원가 + 당기추가된 기초재공품(직접)재료원가) + 당기착수완성품(직접)재료원가 3) 당기추가된 기초재공품(직접)재료원가 = (직접)재료원가완성품환산량단위당 원가 * 기초재공품당기추가환산량 = (직접)재료원가완성품환산량단위당 원가 * (기초재공품수량 * 직접재료비당기추가완성도) 4) 당기착수완성품(직접)재료원가 = (직접)재료원가완성품환산량단위당 원가 * 당기착수완성품수량 5) 선입선출법가공원가완성품원가 = 기초재공품가공원가 + 당기추가된 기초재공품가공원가) + 당기착수완성품가공원가 = (기초재공품가공원가 + 당기추가된 기초재공품가공원가) + 당기착수완성품가공원가 6) 당기추가된 기초재공품총가공원가 = 가공원가완성품환산량단위당 원가 * 기초재공품당기추가환산량 = 가공원가완성품환산량단위당 원가 * (기초재공품수량 * 가공원가당기추가완성도) 7) 당기착수완성품가공원가 = 가공원가완성품환산량단위당 원가 * 당기착수완성품수량 8) 선입선출법기말재공품(직접)재료원가 = (직접)재료원가완성품환산량단위당 원가 * 기말재공품(직접)재료가환산량 = (직접)재료원가완성품환산량단위당 원가 * (기말재공품수량 * 기말재공품(직접)재료가완성도) 9) 선입선출법기말재공품가공원가 = 가공원가완성품환산량단위당 원가 * 기말재공품가공원가환산량 = 가공원가완성품환산량단위당 원가 * (기말재공품수량 * 기말재공품가공원가완성도) 10) 선입선출법 완성품원가 = 완성품(직접)재료원가 + 완성품가공원가 11) 선입선출법 기말재공품원가 = 기말재공품(직접)재료원가 + 기말재공품가공원가 12) 선입선출법 당기총제조원가 = 선입선출법완성품원가 + 선입선출법기말재공품원가 = 총직접재료원가 + 총가공원가

[그림 6.5] 종합원가계산에서 선입선출법에 의한 원가계산2

선입선출법의 당기완성품수량은 기초재공품 수량에 당기 착수 완성품수량을 더해서 계산한다.

즉 물량 흐름단계에서는 투입수량과 산출수량이 같음을 의미하는 다음의 수식은 매우 중요하다.

> 기초재공품 수량 + 당기 착수량 = 선입선출법 당기완성품수량 + 기말재공품 수량

2단계에서 완성품 환산량을 계산하는 단계로서, 재료원가는 공정초에 전량 투입되고, 가공원가는 공정전반에 걸쳐 균등하게 발생한다고 가정하여 원가를 계산한다. 당기 완성품 환산량계산시에는 기초재공품은 당기에 추가로 완성된 부분에 대해서만 환산량을 계산하는데 포함시킨다.

완성품 환산량을 계산하는 단계에서는 다음의 수식은 매우 중요하다.

1) 총(직접)재료원가(당기)완성품 환산량 = 기초재공품 수량 * (직접)재료원가(당기)추가완성도 + (당기)착수(직접)재료원가완성품수량 * 100% + 기말재공품 수량 * 기말재공품(직접)재료원가 완성도

   총(직접)재료원가(당기)완성품 환산량: 당기에 완성된 완성품 환산량중에서 (직접)재료원가를 사용하여 완성된 완성품 환산량을 의미한다. 종합원가계산에서 재료원가는 공정초에 전량 투입되므로, 직접재료원가의 추가완성도는 0%인 경

우가 대부분이다. 또한 기말재공품(직접)재료 원가완성도는 대부분 100%이다.

표기 시 주의사항: 기존의 책에서는 종합원가계산에서 직접과 당기라는 용어를 생략하고 사용한다. 그러나 이 책에서는 앞에서 배운 공식들과 통일된 공식으로 사용하기 위하여 직접과 당기는 괄호로 표기하였다.

2) 총 가공원가(당기)완성품 환산량 = 기초재공품 수량 * 가공원가(당기)추가완성도 + 당기착수가공원가 완성품수량 * 100% + 기말재공품 수량 * 기말재공품 가공원가완성도

   총가공원가(당기)완성품 환산량: 당기에 완성된 완성품 환산량 중에서 가공원가를 사용하여 완성된 완성품 환산량을 의미한다. 가공원가는 공정전반에 걸쳐 균등하게 발생해서, 기초재공품의 완성품원가가 완성되는 경우에는 기초재공품 수량에 가공원가(당기)추가완성도를 곱해서 구한다. 당기착수해서 완성품이 되는 경우에는 당기착수완성품수량에 100%를 곱해서 계산한다. 가공원가의 기말 재공품 완성품수량은 기말 재공품 수량에 기말 재공품 가공원가 완성도를 곱해서 계산한다.

3단계에서는 총원가를 원가요소별로 기초재공품원가와 당기 발생 원가를 집계하여 총원가를 계산한다. 완성품 환산량 단위당원가를 계산할 때에는 오직 당기투입원가로만 계산한다. 종합원가계산에서는 총원가는 총(직접)재료원가와 총가공원가의 합으로 계산한다. 당기 투입 총(직접)재료원가는 당기에 투입된 (직접)재료원가를 의미하고, 당기투입 총 가공원가는 당기에 투입된 총 가공원가를 의미한다.

4단계에서는 3단계까지 계산된 수식을 사용하여 완성품 환산량 단위당 원가를 구하는 단계이다.

1) 선입선출법(직접)재료원가 완성품 환산량 단위당원가 = 당기투입 총(직접)재료원가/ 총(직접)재료원가 당기완성품 환산량

   선입선출법(직접)재료원가 완성품 환산량 단위당원가: 선입선출법에 의한 (직접)재료원가완성품 환산량 단위당 원가는 완성품 환산량을 재료원가로 계산된 것을 의미하며, 이 계산은 당기투입총(직접)재료원가를 총(직접)재료 원가 당기완성

품 환산량으로 나누어서 계산한다.

2) 선입선출법 가공원가 완성품 환산량 단위당원가 = 당기투입 총 가공원가/ 총 가공원가 당기완성품 환산량

선입선출법 가공원가 완성품 환산량 단위당원가: 선입선출법에 의한 가공원가 완성품환산량 단위당 원가는 완성품 환산량을 가공원가로 계산된 것을 의미하며, 이 계산은 당기투입 총 가공원가를 총 가공원가 당기 완성품 환산량으로 나누어서 계산한다.

종합원가계산의 선입선출법에 의한 원가계산에서는 기초재공품이 가장 먼저 완성품이 된다고 가정하여 원가를 계산하고 있다. 이리하여 5단계에서는 기초재공품원가는 완성품 원가에 전액 배부되고, 당기에 발생한 원가는 완성품 환산량에 의하여 완성품원가와 기말 재공품원가로 배분된다.

1) 선입선출법 기초재공품 총(직접)재료원가 = 기초재공품(직접)재료원가 + 당기 추가된 기초재공품(직접)재료원가

재료원가는 공정초에 전량 투입되므로, 기초재공품의 재료원가에 당기 추가된 기초재공품 재료원가는 대부분 0값을 갖는다.

2) 선입선출법(직접)재료비완성품원가 = 기초재공품총(직접)재료원가 + 당기착수 완성품(직접)재료원가

선입선출법(직접)재료비완성품원가: 선입선출법에 의한 재료비완성품원가는 식1에서 구한 기초재공품 재료원가에 당기착수 완성품 재료원가를 더해서 구한 값이다.

3) 당기 추가된 기초재공품(직접)재료원가 = (직접)재료 원가완성품 환산량 단위당 원가 * 기초재공품 당기 추가 환산량

당기 추가된 기초재공품(직접)재료원가: 기초재공품에 당기에 추가된 직접 재료원가을 의미하는데, 이 값은 대부분이 0이다. 왜냐하면 재료원가는 생산 초에 전량 투입하므로, 추가로 투입된 재료가 없다.

4) 당기착수완성품(직접)재료원가 = (직접)재료원가 완성품 환산량 단위당원가 *

당기착수완성품수량

당기에 착수하여 완성품의 재료원가는 (직접)재료 원가완성품 환산량 단위당원 가에 당기착수완성품수량을 곱하여 구한다.

5) 선입선출법 가공원가 완성품원가 = 기초재공품 총 가공원가 + 당기착수완성품 가공원가 = (기초재공품가공원가 + 당기 추가된 기초재공품가공원가) + 당기착 수 완성품가공원가

선입선출법에 의한 가공원가 완성품원가는 기초재공품 총 가공원가에 당기착수 완성품가공원가를 더해서 구한다. 기초재공품 총가공원가는 기초재공품가공원 가에 당기에 추가된 기초재공품가공원가를 더해서 구한다. 당기착수 완성품 가 공원가는 당기에 착수하여 완성품이 된 가공원가를 의미한다.

6) 당기 추가된 기초재공품 총 가공원가 = 가공원가 완성품 환산량 단위당원가 * 기 초재공품 당기 추가 환산량 = 가공원가 완성품 환산량 단위당원가 * (기초재공품 수량 * 가공원가 당기 추가 완성도)

당기 추가된 기초재공품 총 가공원가는 기초재공품의 총 가공원가를 의미하는 데, 이 값은 가공원가 완성품 환산량 단위당 원가에 기초재공품 당기 추가 환산량 을 곱해서 구한다. 기초재공품 당기 추가 환산량은 기초재공품 수량에 가공원가 당기 추가 완성도를 곱해서 구한다.

7) 당기 착수 완성품 가공원가 = 가공원가 완성품 환산량 단위당원가 * 당기 착수 완성품수

당기에 착수하여 완성품이 된 당기 착수 완성품 가공원가는 가공원가 완성품 환 산량 단위당원가에 당기착수 완성품수량을 곱하여 계산한다.

8) 선입선출법 기말 재공품(직접)재료원가 = (직접)재료원가 완성품 환산량 단위당 원가 * 기말 재공품(직접)재료원가 환산량 = (직접)재료 원가 완성품 환산량 단위 당원가 * (기말재공품 수량 * 기말 재공품(직접)재료원가완성도)

선입선출법에 의한 기말 재공품 재료원가는 재료 원가완성품 환산량 단위당 원 가에 기말재공품 재료 원가 환산량을 곱하여 계산한다. 기말 재공품 재료 원가 환 산량은 기말 재공품 수량에 기말 재공품 재료 원가완성도를 곱해서 계산한다. 재

료원가는 공정초에 재료비를 전량 투입하므로 기말재공품 재료원가 완성도는 대부분이 100%이다.

9) 선입선출법 기말 재공품 가공원가 = 가공원가 완성품 환산량 단위당원가 * 기말 재공품가공원가 환산량 = 가공원가 완성품 환산량 단위당원가 * (기말 재공품 수량 * 기말 재공품 가공원가 완성도)

선입선출법에 의한 기말 재공품 가공원가는 가공원가 완성품 환산량이 단위당 원가에 기말재공품 가공원가 환산량을 곱하여 계산한다. 기말재공품 가공원가 환산량은 기말재공품수량에 기말재공품 가공원가 완성도를 곱해서 계산한다.

10) 선입선출법 완성품원가 = 완성품(직접)재료원가 + 완성품가공원가

선입선출법의 완성품 원가는 완성품(직접)재료원가와 완성품 가공원가의 합으로 계산한다.

11) 선입선출법 기말재공품원가 = 기말재공품(직접)재료원가 + 기말재공품 가공원가

선입선출법의 기말재공품원가는 기말재공품의 재료원가와 기말재공품의 가공원가를 더해서 계산한다.

12) 선입선출법 (당기)총제조원가 = 선입선출법 완성품원가 + 선입선출법 기말재공품원가 = 총(직접)재료원가 + 총가공원가

선입선출법에 의한 총 제조원가는 선입선출법의 완성품원가와 선입선출법 기말재공품원가를 더해서 구하는데, 이 값은 총재료 원가와 총가공원가의 합으로도 나타낼 수 있다.

■ 선입선출법을 사용한 예제 #1

올해 6월1일에 창업한 금일제조회사는 단일제품을 대량생산하고 있다. 3월1에 3,000개를 착수하여 2,400개를 완성하였고, 기말재공품의 수량은 600개이고, 완성도는 70%이다. 제품제조를 위한 원재료는 공정초에 전부 투입되었고, 가공원가는 공정전반에 걸쳐서 균등하게 발생한 것으로 가정하였다. 선입선출법에 의하여 6월 달의 재료원가완성품 환산량과 가공원가 완성품 환산량을 계산하시오.

풀이

기초:	기말:
기초재공품수량 = 0개	완성품수량 = 2,400개
당기착수량 = 3,000개	기말재공품수량 = 600개

당기착수 (직접)재료비는 공정초기에 일시에 전량투입(가공원가완성도 70%)
당기착수 가공원가는 공정전반에 균등하게 발생

1단계:

선입선출법당기완성품수량 = 기초재공품 완성품수량 + 당기착수완성품수량

선입선출법당기완성품수량 = 0 + 2,400 = 2,400

투입수량(기초재공품수량 + 당기 착수량) = 산출수량(선입선출법당기완성품수량 + 기말재공품수량)

0 + 3,000 = 2,400 + 600

2단계:

선입선출법 총 (직접)재료 원가 당기완성품 환산량 = 기초재공품 수량 * (직접)재료원가당기추가완성도 + 당기착수(직접)재료원가완성품수량 * 100% + 기말재공품수량 * 기말 재공품 직접재료 원가완성도 = 0 + 2,400 * 100% + 600 * 100% = 3,000

선입선출법 총 가공원가 당기완성품 환산량 = 기초재공품 수량 * 가공원가당기추가완성도 + 당기착수가공원가완성품수량 * 100% + 기말재공품 수량 * 기말재공품 가공원가완성도 = 0 + 2,400 * 100% + 600 * 70% = 2,820

올해 7월1일에 창업한 금일제조회사는 단일제품을 대량생산하고 있다. 7월1에 3,000개를 착수하여 2,400개를 완성하였고, 기말재공품의 수량은 600개이고, 완성도는 70%이다. 제품제조를 위한 원재료는 공정초에 전부 투입되었고, 가공원가는 공정전반에 걸쳐서 균등하게 발생한 것으로 가정하였다. 재료비는 6,000,000원이 발생했고, 가공비는 2,820,000원이 발생했다. 선입선출법에 의하여 7월 달의 재료 원가 완성품 환산량과 가공원가 완성품 환산량을 계산하시오. 제조원가보고서, 완성품 환산량 단위당원가와 총 제조원가를 구하시오.

풀이

기초:

기초재공품수량 = 0개

당기착수량 = 3,000개

당기착수(가공원가완성도 70%)

(직접)재료비6,000,000원은 공정초기에 일시에 전량투입

당기착수 가공원가 2,820,000원은 공정전반에 균등하게 발생

기말:

완성품수량 = 2,400개

기말재공품수량 = 600개

1단계:

선입선출법당기완성품수량 = 기초재공품 완성품수량 + 당기착수완성품수량

$$= 0 + 2,400 = 2,400$$

투입수량(기초재공품 수량 + 당기 착수량) = 산출수량(선입선출법당기완성품수량 + 기말재공품수량)

$$0 + 3,000 = 2,400 + 600$$

2단계:

선입선출법 총(직접)재료 원가 당기완성품 환산량 = 기초재공품 수량 * (직접)재료원가당기추가완성도 + 당기착수(직접)재료원가완성품수량 * 100% + 기말재공품 수량 * 기말재공품(직접)재료원가완성도 = 0 + 2,400 * 100% + 600 * 100% = 3,000

선입선출법 총 가공원가 당기완성품 환산량 = 기초재공품 수량 * 가공원가 원가당기 추가완성도 + 당기착수 가공원가 완성품수량 * 100% + 기말재공품 수량 * 기말재공품 가공원가 완성도 = 0 + 2,400 * 100% + 600 * 0.7 = 2,820

3단계:

당기투입총(직접)재료원가 = 당기에 투입된 (직접)재료원가 = 6,000,000

당기투입 총가공원가 = 당기에 투입된 총가공원가 = 2,820,000

4단계:

선입선출법(직접)재료 원가완성품 환산량 단위당원가 = 당기투입 총(직접)재료원가 / 총(직접)재료 원가당기완성품 환산량 = 6,000,000/3,000 = 2,000

선입선출법 가공원가완성품 환산량 단위당 원가 = 당기 투입 총 가공원가/총 가공원가 당기 완성품 환산량 = 2,820,000/2,820 = 1,000

5단계:

1) 당기 추가된 기초재공품 총(직접)재료원가 = (직접)재료원가 완성품 환산량 단위당원가 * 기초재공품 당기 추가 환산량 = (직접)재료원가 완성품 환산량 단위당원가 * (기초재공품수량 * 직접재료비당기추가완성도) = 0

2) 선입선출법 기초재공품총(직접)재료원가 = 기초재공품(직접)재료원가 + 당기 추가된 기초재공품(직접)재료원가 = 0

3) 당기 착수 완성품(직접)재료원가 = (직접)재료원가 완성품 환산량 단위당원가 * 당기 착수 완성품수량 = 2,000 * 2,400 = 4,800,000

4) 선입선출법(직접)재료비 완성품원가 = 기초재공품총(직접)재료원가 + 당기 착수 완성품(직접)재료원가 = (기초재공품(직접)재료원가 + 당기 추가된 기초재공품(직접)재료원가) + 당기착수완성품(직접)재료원가 = 0 + 4,800,000 = 4,800,000

5) 당기 추가된 기초재공품 총가공원가 = 가공원가 완성품 환산량 단위당원가 * 기초재공품 당기 추가환산량 = 가공원가 완성품 환산량 단위 당원가 * (기초재공품수량 * 가공원가당기추가완성도) = 0

6) 당기착수완성품가공원가 = 가공원가 완성품 환산량 단위당원가 * 당기 착수완성품수량 = 1,000 * 2,400 = 2,400,000

7) 선입선출법 가공원가 완성품원가 = 기초재공품가공원가 + 당기 착수완성품 가공원가 = (기초재공품가공원가 + 당기 추가된 기초재공품가공원가) + 당기 착수완성품 가공원가 = 0 + 2,400,000 = 2,400,000

8) 선입선출법 기말재공품(직접)재료원가 = (직접)재료원가 완성품 환산량 단위당원가 * 기말재공품(직접)재료원가 환산량 = (직접)재료 원가완성품 환산량 단위 당원가 * (기말재공품수량 * 기말재공품(직접)재료원가완성도) = 2,000 * 600 = 1,200,000

9) 선입선출법 기말재공품 가공원가 = 가공원가 완성품 환산량 단위 당원가 * 기말재공품 가공원가환산량 = 가공원가 원가완성품 환산량 단위당원가 * (기말재공품 수량 * 기말재공품 가공원가 완성도) = 1,000 * (600 * 0.7) = 420,000

10) 선입선출법 완성품원가 = 완성품(직접)재료원가 + 완성품가공원가 = 4,800,000 + 2,400,000 = 7,200,000

11) 선입선출법 기말재공품원가 = 기말재공품(직접)재료원가 + 기말재공품 가공원가 = 1,200,000 + 420,000 = 1,62,000

12) 선입선출법 당기총제조원가 = 선입선출법 완성품원가 + 선입선출법 기말재공품원가 = 총직접재료원가 + 총가공원가 = 7,200,000 + 1,620,000 = 8,820,000

- 금일제조회사 제조원가명세서(2020년7월1일 - 7월31일)

  위에서 선입선출법을 사용한 종합원가계산을 1단계에서 5단계까지 계산된 내용을 토대로 금일제조회사의 제조원가명세서를 작성한다.

금일제조회사 제조원가명세서(2020년7월1일 - 7월31일)				
	[1단계]	[2단계] 완성품 환산량		합계
	물량흐름	재료원가	가공원가	
기초재공품	-			
당기착수량(개)	3,000			
당기완성품(개)	2,400	2,400	2,400	
기말재공품(개)	600(70%)	600	420	
[3단계]				
총원가의 요약				
기초재공품원가		-	-	
당기투입원가		6,000,000	2,820,000	8,820,000
완성품환산량		3,000	2,820	
[4단계] 완성품환산량단위당원가		2,000	1,000	3,000
완성품원가	4,800,000 + 2,400,000 = 7,200,000			
기말재공품원가	1,200,000 + 420,000 = 1,620,000			
제조원가 총합계	8,820,000			

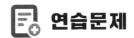

1. 금돌이가 다음 보기 중에서 종합원가계산에 대한 설명으로 가장 옳은 것을 고르시오?

   ① 조선업, 항공기 제조업, 건설업 등에서 고객의 주문제작으로 제품을 제조하는 산업에서
   주로 사용하는 원가계산방식이다.

   ② 소품종의 제품을 대량생산하는 산업에서 제조원가를 계산할 때에 재료비와 가공비로 구
   분해서 계산하며, 완성품 환산량 개념을 사용하여 제조원가를 계산한다.

   ③ 제품별 제조원가를 계산할 때에 제조간접비를 일정한 배부기준에 따라 배분한다.

   ④ 제품별 제조간접비의 배부를 더 정확히 계산하기 위하여 보조 부문 비를 제조부문에 배
   부하고, 제조부문별로 나누어서 원가를 계산한다.

   풀이 주문제작 생산하는 조선업, 항공기제조업에서는 개별원가 계산방식을 사용하여 제조원가를 계
   산한다. 고객의 주문에 의하여 제품을 제조하는 산업에서는 개별원가 계산방식을 사용한다. 제
   조간접비를 일정한 배부기준에 따라 배분하는 방식은 개별원가계산 방식이다. 소품종을 대량
   생산하는 산업에서는 종합원가 계산방식을 사용하여 제조원가를 제조공정별로 나누어서 재료
   비와 가공원가로 나누어서, 제조원가를 계산한다. 완성품 환산량 = 작업수량 * 완성도(진척도)
   을 계산하고, 단위당원가를 계산하여 제조원가를 계산한다.

2. 밀가루를 대량으로 제조하는 회사는 종합원가계산방식을 사용하여 원가를 계산하려고 한다. 다
   음의 보기를 사용하여 제조원가를 계산하기 위한 절차를 차례대로 표시하시오?

   > [보기]
   > ① 원가를 계산하기 위하여 제품별로 원가배부
   > ② 원가를 계산하기 위하여 완성품 환산량 단위당원가 구하기
   > ③ 총 재료원가와 총가공원가 등의 총원가를 계산하기
   > ④ 원가를 계산하기 위하여 완성품 환산량 계산하기
   > ⑤ 원가를 계산하기 위하여 물량흐름파악하기

   풀이 종합원가계산방식을 진행하는 순서는 물량흐름파악하기 - > 완성품 환산량 계산하기 - > 총재
   료원가와 총가공원가 등의 총원가를 계산하기 - > 완성품 환산량 단위당원가 구하기 - > 제품
   별로 원가배부

연습문제

3. 금일제조회사에서 제조원가를 계산하는 중에 공손이 비정상적으로 발생된 것을 확인하였다. 이 경우에 이 공손을 어떻게 회계처리 하는 것이 가장 적절 한가?

① 판매관리비
② 제조원가
③ 영업외수익
④ 영업외비용

풀이 공손이 정상적으로 발생한 경우에는 제조원가에 포함시켜서 계산하고, 비정상적으로 발생한 경우에는 영업외비용으로 계산한다.

4. 다음 보기 중에서 금돌이가 종합원가계산방식을 사용해야 하는 경우는?

① 고객의 주문에 의한 제품제조를 위해서 제조지시서별로 원가를 구분하여 원가를 계산하는 경우
② 고객의 주문을 받아서 주문에 따라서 그 제품을 제조하면서, 원가를 계산하는 경우
③ 다품종의 제품을 소량으로 생산하면서 원가를 계산하는 경우
④ 소품종의 제품을 대량생산하면서 공정별로 나누어서 원가를 계산하고 제품에 배부함

풀이 종합원가계산에서는 소품종의 제품을 대량생산하면서 공정별로 원가를 계산하고 제품에 배부하는 방식이다.

5. 다음 보기에서 금돌이가 설명하는 종합원가계산방식과 개별원가계산방식을 설명한 것 중에서 옳은 것은?

① 개별원가계산방식은 소품종 대량생산인 밀가루제조, 시멘트제조 등에서 사용하고, 종합원가계산방식은 다품종 소량생산에서 사용된다.
② 개별원가계산방식은 공정별로 원가를 집계하면서 계산하고 종합원가계산방식은 제조지시서에 따른 조선업, 항공기산업에서 작업별로 원가를 계산한다.
③ 개별원가계산방식에서는 제조원가를 재료원가와 가공원가로만 분류하여 제품별 단위당 원가를 계산한다.
④ 종합원가계산방식에서는 제조원가를 재료원가와 가공원가로만 나누어서 계산한다.

풀이 종합원가계산에서는 소품종의 제품을 대량생산하면서 공정별로 원가를 계산하는 방식이다. 제조원가의 계산은 재료원가와 가공원가로만 나누어서 제조원가를 계산한다.

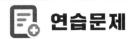 **연습문제**

6. 안산공업㈜은 종합원가계산방식을 채택하고 있다. 아래의 제조원가 자료에서 보여주는 것처럼, 재료비는 공정초기에 전략 투입되며, 가공비는 공정기간동안에 균등하게 투입될 경우에 평균법에 의하여 재료원가 완성품 환산량과 가공원가 완성품 환산량을 구하면 얼마인가?

구분	물량	완성도	구분	물량	완성도
기초재공품	600개	60%	완성품	2,600개	
당기투입수량	3,000개		기말재공품	1,000개	80%
계	3,600개			3,600개	

풀이 기초:　　　　　　　　　　　　　　　　　　　기말:

기초재공품수량 = 600개(가공원가완성도 60%)　　완성품수량 = 2,600개

당기착수량 = 3,000개　　　　　　　　　　　　　기말재공품수량 = 1,000개

당기착수 (직접)재료비를 공정초에 전량투입(가공원가완성도 80%)

당기착수 가공원가는 공정전반에 균등하게 발생함

1단계

투입수량(기초재공품수량 + 당기착수량) = 산출수량 (당기완성품수량 + 기말재공품수량)

600 + 3,000 = 2,600 + 1,000

2단계

평균법 총(직접)재료 원가완성품 환산량 = (당기)(직접)재료원가 완성품 환산량(당기완성품수량) + 기말재공품(직접)재료원가 완성품 환산량 = 2,600 * 100% + 1,000 * 100% = 3,600

평균법 총 가공원가완성품 환산량 = (당기)가공원가완성품 환산량(당기완성품수량) + 기말재공품 가공원가완성품 환산량 = 2,600 * 100% + 1,000 * 80% = 3,400

7. 금융 산업㈜은 종합원가계산방식을 채택하고서, 아래의 제조원가에 대한 자료를 통하여 제조원가를 계산하고 있다. 재료비는 공정초기에 전략 투입되며, 가공비는 공정기간 동안에 균등하게 투입될 경우에 평균법에 의하여 재료원가 완성품 환산량과 가공원가완성품 환산량을 구하면 얼마인가?

구분	물량	완성도	구분	물량	완성도
기초재공품	20,000개	60%	완성품	160,000개	
당기투입수량	180,000개		기말재공품	40,000개	40%
계	200,000개			200,000개	

풀이 기초:

기초재공품수량 = 20,000개(가공원가완성도 60%)

당기착수량 = 180,000개

당기착수 (직접)재료비를 공정초에 전량투입(가공원가완성도 40%)

당기착수 가공원가는 공정전반에 균등하게 발생함

기말:

완성품수량 = 160,000개

기말재공품수량 = 40,000개

1단계:

투입수량(기초재공품수량 + 당기착수량) = 산출수량 (당기완성품수량 + 기말재공품수량)

20,000 + 180,000 = 160,000 + 40,000

2단계:

평균법 총(직접)재료원가 완성품 환산량 = (당기)(직접)재료원가완성품 환산량(당기완성품수량) + 기말재공품(직접)재료원가완성품 환산량 = 160,000 * 100% + 40,000 * 100% = 200,000

평균법 총 가공원가완성품 환산량 = (당기)가공원가완성품 환산량(당기완성품수량) + 기말재공품 가공원가완성품 환산량 = 160,000 * 100% + 40,000 * 40% = 176,000

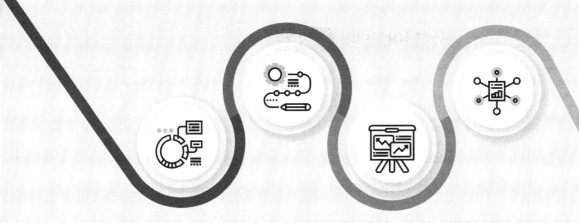

제7장
표준 원가계산

1절 표준 원가계산이란?

제품을 생산하기 위해서 필요한 직접재료비, 직접노무비, 제조간접비의 비용은 시장 상황에 따라서 가격이 계속 변화를 한다. 이런 모든 제조원가요소에 대하여, 그동안에 제품제조를 하면서 과거에 발생하였던, 원가정보를 과학적이고 통계적인 방법으로 계산하여, 표준원가를 미리 정한다. 이 원가를 기준으로 미래의 제조원가를 계산하고 실제 발생원가와 비교하여 미래의 경영을 효율적으로 이루기 위한 원가제도이다.

1.1 실제 원가계산방식 대비 표준 원가계산방식의 이로운 점

[표 7.1] 실제 원가계산방식 대비 표준 원가계산방식의 이로운 점들

이로운 항목	표준원가계산방식의 이로운 점들	중요도
예산작성을 위한 기초자료로 활용	표준 원가계산방식은 미래의 예산을 작성하는데 기초자료로 활용할 수 있는 잇점이 있다. 기업들이 미래 사업에 대한 계획을 세우면서 예산을 편성할 경우에, 표준원가를 사용할 수 있다. 사전적으로 예산을 세워서 사업을 진행하고, 실제발생한 실제원가와 비교하여 성과평가의 기준으로 활용할 수 있다.	별3
제품생산을 위한 원가통제	일정한 품질이나 규격을 갖춘 제품을 생산하는 경우에, 발생할 것으로 기대된 표준 원가를 사용하여 실제 제품생산에서 원가통제의 수단으로 활용할 수 있다. 표준 원가계산방식에서는 달성목표인 표준 원가와 제품생산에서 발생하는 실제원가를 비교하면서, 발생하는 원가차이를 최소화하도록 하면서 원가 통제를 효율적으로 진행할 수 있다.	별3
쉽게 제품 원가를 계산 할 수 있음	표준 원가를 사용하여 제품의 제조원가를 계산하면, 원가계산을 신속하게 계산할 수 있다. 실제원가 계산방식에서는 당기에 발생한 원가를 취합하여 원가를 계산하지만, 표준 원가계산방식에서는 생산할 수량만 파악하면, 표준 원가를 기준으로 미래에 발생한 제품의 제조원가를 계산할 수 있다.	별3

표준 원가계산방식은 원가관리 및 통제를 위한 사전원가라는 점에서 사후원가 제도인 실제원가제도와 다른 점이다. 표준 원가계산방식은 실제원가 제도에서 발생하는 문제점들을 해결하는 역할을 한다. 표준 원가계산방식의 이로운 점들을 살펴보면 아래와 같다.

1) 실제원가계산은 사후원가제도인 반면에 표준 원가계산방식은 사전원가계산방식으로 원가를 계산한다. 실제원가계산방식은 제품을 생산할 때까지 기다리면서 발생하는 제조원가를 기록한 후에 실제 제조원가가 확정하는 사후에 원가를 계산하는 문제점이 있다. 이에 반해서 표준 원가계산방식은 기존의 제품생산에 대한 자료를 토대로 사전에 표준원가를 계상하기 때문에 원가계산이 신속하고 간편하게 계산할 수 있다. 미래에 대한 제품생산에 대한 계획예산을 미리 계산할 수 있다.

2) 표준 원가계산방식은 실제원가계산제도에 비해서 원가통제를 효율적으로 할 수 있다. 실제원가계산방식에서는 조업도의 변동에 따라서 제품원가가 현저히 변동할 수 있다. 실제원가계산방식을 사용하는 경우에는 당기에 재고자산을 늘려서 기업의 수익성을 높이거나, 생산자가 생산능률을 변경하여 생산성을 변경할 수 도 있다. 그러나 표준 원가계산방식은 사전에 설정된 표준원가로 제품원가를 계산하여 운영함으로써 원가를 효과적으로 통제할 수 있다.

실제원가계산방식 대비 표준 원가계산방식을 활용한 경우에 대한 이로운 점들을 요약하면, 아래 [표 7.1]과 같이 요약할 수 있다. 즉, 실제원가계산은 회계기간 동안에 발생한 재무회계내용을 재무제표의 공표의 목적으로 작성한다. 실제원가계산은 재고자산 평가와 손익결정을 위하여 사용되며, 미래의 원가를 예측하는데 기초자료로 사용된다. 회계 기간동안에 측정된 제품원가를 측정하여 기록 함으로서 제품원가에 대한 측정시기가 지연되고, 단위당 고정원가 조업도 수준에 따라서 영향을 받아서, 제품원가가 일정하지 않다는 단점이 있다. 이러한 단점을 극복하기 위하여 표준 원가계산(standard costing)이 등장하였다. 표준 원가(standard costs)는 최상의 작업조건하에서 제품을 1단위 생산할 때 달성 가능한 원가로서, 제품제조공정에서 그동안에 쌓은 자료와 통계자료를 사용하여 표준원가를 설정한다.

2절 표준 원가계산 절차

2.1 표준원가계산의 개념

표준 원가계산방식을 사용하여 제조원가를 계산하기 위해서는 [그림 7.1]처럼 먼저 제품1단위당 표준직접재료원가를 계산한 후에 표준직접노무원가를 계산하는 것이 필요하다. 다음으로는 제품1단위당 표준 변동 제조간접원가와 표준고정제조간접원가를 구한다. 이렇게 한 후에 제품1단위당 표준제조원가는 제품1단위당 표준직접재료원가, 제품1단위당 표준직접노무원가와 제품1단위당 표준 제조간접원가를 모두 더하여 계산한다.

이것을 자세히 살펴보면 제품1단위당 표준직접재료원가를 구하기 위해서는 표준수량(SQ)을 원재료 단위당표준가격(SQ)에 곱해서 계산한다. 제품1단위당 표준직접재료원가는 표준제품1단위를 만드는데 사용된 재료원가를 말한다. 표준수량(SQ)은 제품1개당 표준원재료투입량을 의미하거나, 제품1개당 표준투입시간을 의미하기도 한다. 원재료 단위당 표준가격(SP)는 제품1개당 원재료단위당 표준가격을 의미하거나 제품1개당 표준시간가격을 의미하기도 한다.

제품 1단위당 표준직접노무원가를 계산하기 위해서는 단위당 표준직접노동시간(SQ)에 단위당 표준임률(SP)를 곱하여 계산한다. 단위당 표준직접노무원가(SQ)는 단위당 표준직접노동시간으로서 직접재료원가의 표준수량(SQ)과 같은 의미를 갖는다.

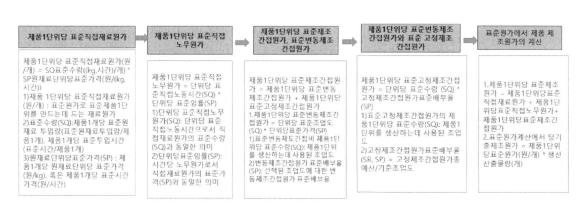

[그림 7.1] 표준원가 계산절차

　단위당 표준임률(SP)은 시간당 노무원가로서 직접재료원가의 표준가격(SP)과 동일한 의미를 갖고 있다. 제품1단위당 표준 제조간접원가는 제품1단위당 표준 변동 제조간접원가와 제품1단위당 표준고정제조간접원가로 구성된다. 제품1단위당 표준 변동 제조간접원가는 단위당표준조업도(SQ)에 단위당표준가격(SP)를 곱해서 계산한다. 표준 변동제조간접비 제품1단위당 표준수량(SQ)은 제품1단위를 생산하는데 사용된 조업도를 나타낸다. 변동 제조간접원가 표준가격(SP)은 선택된 조업도에 대한 변동제고간접원가 표준 배부율을 나타낸다.

　제품1단위당 표준고정제조간접원가는 단위당표준수량(SQ)에 고정제조간접원가 표준배부율(SP)를 곱해서 계산한다. 표준 고정 제고 간접원가의 제품1단위당표준수량(SQ)은 제품1단위를 생산하는데 사용된 조업도를 나타내며, 고정제조간접원가표준 배부율(SP)은 고정제조간접원가총예산을 기준조업도로 나눈 값을 나타낸다.

　제품1단위당 표준제조원가는 제품1단위당 표준직접재료원가, 제품1단위당 표준노무원가와 제품1단위당 표준 제조간접비를 모두 더하여 계산한다. 표준원가계산에서 당기 총 제조원가는 제품1단위당 표준제조원가에 생산 산출량을 곱하여 계산한다.

3절 ▶ 표준 원가계산의 주요 공식

[표 7.2] 표준원가계산의 중요공식

표준 원가계산의 주요 공식 (중요도: 별7)

1. 제품1단위당 표준제조원가 = 제품1단위당 표준직접재료원가 + 제품1단위당 표준직접노무원가 + 제품1단위당 표준 제조간접원가

2. 표준원가계산하에서 제품원가(원) = 제품1 단위당 표준원가(원/개) × 생산산출물량(개)

3. 제품1 단위당 표준직접재료원가(원/개) = SQ표준수량((kg,시간)/개) × SP원재료단위당 표준가격 (원/(kg,시간))

　　1) 제품 1단위당표준직접재료원가(원/개) : 표준원가로 표준제품1단위를 만드는데 드는 재료원가

　　2) 표준수량(SQ): 제품1개당 표준원재료 투입량 (표준원재료투입량/제품1개), 제품1개당 표준투입시간 (표준시간/제품1개)

　　3) 원재료단위당표준가격(SP) : 제품1개당 원재료 단위당 표준가격 (원/kg), 혹은 제품1개당 표준시간가격 (원/시간)

4. 제품1단위당 표준직접노무원가 = 단위당 표준직접 노동시간(SQ) × 단위당 표준 임률(SP)

　　단위당 표준직접노동시간(SQ)는 단위당 표준직접노동시간으로서 직접재료원가의 표준수량(SQ)과 동일한 의미

　　단위당 표준임률(SP)는 시간당 노무원가로서 직접재료원가의 표준가격(SP)와 동일한 의미

5. 제품1단위당 표준 제조간접원가 = 제품1단위당 표준 변동 제조간접원가 + 제품1단위당 표준 고정제조간접원가

6. 제품1단위당 표준 변동 제조간접원가 = 단위당 표준조업도 (SQ) × 단위당표준가격(SP)

　　1) 표준 변동제조간접비 제품1단위당 표준수량 (SQ): 제품 1단위를 생산하는데 사용된 조업도를 의미함.

　　　　예 제품1단위를 생산하는데 사용된 노동시간, 기계시간, 재료투입량 등의 조업도

　　　　　　제품1단위당 표준수량(SQ) = 제품1단위당조업도(표준조업도시간/개, 표준재료투입조업도/개)

　　2) 변동 제조간접원가 표준 배부율(SP): 선택된 조업도에 대한 변동 제조간접원가 표준 배부율을 의미함

　　　　예 재료단위당표준가격(SP)

7. 제품1단위당 표준고정제조간접원가 = 단위당 표준수량(SQ)×고정제조간접원가표준 배부율(SP)

　　1) 표준고정제조간접원가의 제품1단위당 표준수량 (SQ): 제품 1단위를 생산하는데 사용된 조업도를 의미함.

　　　　예 제품1단위를 생산하는데 사용된 노동시간, 기계시간, 재료투입량 등의 조업도

　　　　　　제품1단위당 표준수량(SQ) = 제품 1단위를 생산하는데 사용된 조업도(제품1단위당 표준시간조업도, 표준투입재료량/개)

　　2) 고정제조간접원가 표준 배부율(SR, SP) = 고정제조간접원가 총예산 / 기준조업도

8. 제품1 단위당 표준제조원가 = 제품1단위당 표준직접재료원가 + 제품1단위당 표준직접노무원가 + 제품1단위당 표준 제조간접원가

 **예제문제**

예제1) 어떤 제품을 1단위 생산하는데 직접재료가 60kg 사용되고 100원/kg 가격을 사용되는 경우에 이 제품의 제품1단위당 표준원가는 얼마인가?

> **풀이**
>
> 제품1단위당 표준직접재료원가(원/개) = 표준수량(SQ)×원재료단위당 표준가격(SP) = 60kg/개 ×100원/kg = 6,000원/개

예제2) 제품 1단위를 생산하는데 직접재료가 60kg 사용되고 100원/kg 가격을 사용된다. 제품1단위를 생산하는데 노무시간이 40시간이 사용되고 노무시간당 직접노무비(60원/시간)와 변동 제조간접원가의 표준가격은 40원/시간, 고정제조간접원가의 표준 배부율은 100원/시간이며, 조업도는 노무시간을 기준으로 변동 제조간접원가와 고정제조간접원가에 배부되는 경우에 단위당 표준원가를 계산하시오?

> **풀이**
>
> ① 제품1단위당 표준직접재료원가 = 표준수량(SQ)×원재료단위당 표준가격(SP) = 60kg/개 ×100원/kg = 6,000원/개
>
> ② 제품1단위당 표준직접노무원가 = 표준수량(SQ)×단위당 표준가격(SP) = 40시간/개×60원/시간 = 2,400원/개
>
> ③ 제품1단위당 표준 변동제조간접원가 = 표준수량(SQ)×단위당표준가격(SP) = 40시간/개×40원/시간 = 1,600원/개
>
> ④ 제품1단위당 표준고정제조간접원가 = 표준수량(SQ)×단위당표준가격(SP) = 40시간×100원/시간 = 4,000원/개
>
> 제품1 단위당 표준제조원가 = 표준직접재료원가 + 표준직접노무원가 + 표준 제조간접원가 = 6,000원/개 + 2,400원/개 + (1,600원/개 + 4,000원/개) = 14,000원/개

예제3) 당기에 영업을 개시한 ㈜ 금융은 원가관리를 목적으로 표준원가계산시스템을 사용하고 있다. 직접노동시간을 기준으로 제조간접원가를 배부하고 있다. 제품1단위당 표준원가는 다음과 같다.

i) 제품1단위를 생산하는데, 표준직접재료비는 150kg/개, 직접재료의 표준가격은 kg당 250원이다(250원/kg).

ii) 제품1단위를 생산하는데, 표준직접노무는 100시간/개이 소요되고, 직접노무원가의 표준가격은 시간당 150원(150원/시간)이다.

iii) 제품1단위를 생산하는데, 변동 제조간접원가요소의 표준수량은 100시간이 소요되고, 변동 제조간접원가의 표준가격은 시간당 100원(100원/시간)이다.

iv) 제품1단위를 생산하는데, 고정제조간접원가요소의 표준수량은 100시간이 소요되고, 고정제조간접원가의 표준가격은 시간당 250원(250원/시간)이다.

[요구사항] 위의 데이터를 사용하여 제품1개당 표준 총 제조원가를 구하시오.

풀이

- 제품1단위당 표준직접재료 원가(원/개) = 표준수량(SQ) × 원재료단위당 표준가격(SP) = 150kg/개 × 250원/kg = 37,500원/개

- 제품1단위당 표준직접노무원가(원/개) = 표준수량(SQ) × 원재료단위당 표준가격(SP) = 100시간/개 × 150원/시간 = 15,000원/개

- 제품1단위당 표준 변동제조간접원가 = 표준수량(SQ) × 원재료단위당 표준가격(SP) = 100시간/개 × 100원/시간 = 10,000원/개

- 제품1단위당 표준고정제조간접원가 = 표준수량(SQ) × 원재료단위당 표준가격(SP) = 100시간/개 × 250원/시간 = 25,000원/개

- 제품1개당 표준 총 제조원가 = 제품1개당 표준직접재료원가 + 제품1개당 표준직접노무원가 + 제품1개당 표준변동 제조간접원가 + 제1개당 표준 고정제조간접원가 = 37,500원/개 + 15,000원/개 + 10,000원/개 + 25,000원/개 = 87,500원/개

4.1 실제원가와 표준원가의 차이분석을 위한 절차

당기에 발생한 원가요소별 실제원가를 당기총제조원가상 장부금액인 표준원가와 비교하여 그 차이를 식별하고 각 차이의 원인을 규명하는 것이다.

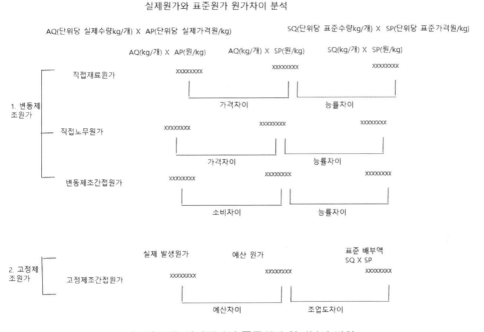

[그림 7.2] 실제원가와 표준원가 차이분석 절차

원가차이를 분석하기 위해서는 [그림 7.2]에서 같이 실제원가와 표준원가에서 발생한 원가들을 배치하고 비교분석을 수행한다. 실제원가와 표준원가를 차이분석을 실행하면 아래와 같이 실제원가가 표준원가보다 적게 발생하면 당기순이익을 증가시켜서 유리한 차이(Favorable)가 발생한 것으로 여긴다. 이에 반하여 실제원가가 표준원가보다 크게 발생하면 불리한 차이로 여긴다.

1) **유리한(Favorable)차이**: 원가요소별 실제원가 < 원가요소별 표준원가의 장부금액
    - 실제원가가 표준원가보다 적게 발생시켜서 실제원가의 당기 순이익을 증가시키는 것
2) **불리한(Unfavorable) 차이**: 원가요소별 실제원가 > 원가요소별 표준원가의 장부금액
    - 실제원가가 표준원가보다 크게 발생시켜서 실제원가의 당기 순이익을 감소시키는 것

실제원가와 표준원가의 원가차이분석에서 변동원가와 고정원가로 크게 나누어서 배치시키고 원가차이분석을 실행한다. 직접재료원가의 실제원가인 실제수량AQ와 단위당실제가격AP을 곱한 결과 값과 실제수량 AQ와 표준가격 SP를 곱한 결과 값을 서로 빼서 가격 차이를 계산한다. 직접재료원가의 실제수량 AQ와 표준가격 SP를 곱한 결과 값과 표준원가인 단위당표준 수량 SQ와 단위당 표준가격 SP를 곱한 결과 값을 서로 빼서 능률 차이를 계산한다.

직접노무원가인 경우에는 직접노무원가의 실제원가인 실제수량 AQ와 단위당 실제가격AP을 곱한 결과 값과 실제수량 AQ와 표준가격 SP를 곱한 결과 값을 서로 빼서 가격 차이를 계산한다. 직접노무원가의 실제수량 AQ와 표준가격 SP를 곱한 결과 값과 표준원가인 단위당표준 수량SQ와 단위당 표준가격 SP를 곱한 결과 값을 서로 빼서 능률 차이를 계산한다.

변동 제조간접원가인 경우에는 변동 제조간접원가의 실제원가인 실제수량AQ와 단위당실제가격AP을 곱한 결과 값과 실제수량 AQ와 표준가격 SP를 곱한 결과 값을 서로 빼서 가격 차이를 계산한다. 변동 제조간접원가의 실제수량 AQ와 표준가격 SP를 곱한 결과 값과 표준원가인 단위당표준 수량SQ와 단위당표준가격 SP를 곱한 결과 값을 서로 빼서 능률 차이를 계산한다.

고정제조간접원가인 경우에는 실제발생원가와 예산원가를 서로 빼서 예산 차이를 계산한다. 고정제조간접원가의 예산원가에서 표준 배부액 SQ와 SP의 곱한 결과 값을 서로 빼서 조업도차이를 계산한다.

4.2 실제원가와 표준원가의 차이분석을 주요공식

[표 7.3] 실제원가와 표준원가의 원가차이분석

실제원가와 표준원가의 차이 분석을 위한 주요공식(중요도 : 별7)
직접재료비 실제 총원가 = 실제수량 AQ * 직접재료비 단위당 실제가격 AP 직접재료비 표준총원가 = 표준수량 SQ * 직접재료비 단위당 표준가격 SP

1. 직접재료비의 실제원가와 표준원가의 차이 계산
   1) 직접재료비 실제원가와 표준원가차이를 가격차이와 능률차이로 표시하기
      직접재료비 실제원가와 표준원가차이 = 직접재료비 실제총원가 - 직접재료비 표준총원가 = (실제수량 AQ * 직접재료비 단위당 실제가격 AP) - (표준수량 SQ * 직접재료비 단위당 표준가격 SP) = (AQ * AP) - (SQ * SP) = (AQ * AP) - (AQ * SP) + (AQ * SP) - (SQ * SP) = {(AQ * AP) - (AQ * SP)} + { (AQ * SP) - (SQ * SP) } = AQ * (AP - SP) + (AQ - SQ) * SP = 직접재료비 가격차이 AQ * (AP - SP) + 직접재료비능률차이(AQ - SQ) * SP

      ※ 직접재료비 실제원가와 표준원가차이 = 직접재료비 가격차이 AQ * (AP - SP) + 직접재료비능률차이(AQ -SQ) * SP
   2) 직접재료비 가격 차이를 순수가격차이와 가격.능률차이로 표시하기
      직접재료비가격차이 = AQ * (AP - SP) = {SQ + AQ - SQ} * (AP - SP) = {SQ + (AQ - SQ)} * (AP - SP) = SQ * (AP - SP) + (AQ - SQ) * (AP -SP) = 순수가격차이 SQ * (AP - SP) + 가격.능률차이 (AQ - SQ) * (AP - SP)

      ※ 직접재료비가격차이 = 순수가격차이 SQ * (AP - SP) + 가격능률차이(AQ - SQ) * (AP - SP)
2. 직접노무비의 실제원가와 표준원가의 차이 계산
   총직접노무비 실제원가와 표준원가차이 = 직접노무비 실제총원가 - 직접노무비 표준총원가 = (실제노동시간 AQ * 직접노무비 단위당 실제가격 AP) - (표준직접노동시간 SQ * 직접노무비 표준임률 SP) = (AQ * AP) - (SQ * SP) = (AQ * AP) - (AQ * SP) + (AQ * SP) - (SQ * SP) = {(AQ * AP) - (AQ * SP) } + { (AQ * SP) - (SQ * SP) } = AQ * (AP - SP) + (AQ - SQ) * SP = 직접노무비 가격차이 AQ * (AP - SP) + 직접노무비능률차이(AQ - SQ) * SP

   ※ 총직접노무비 실제원가와 표준원가차이 = 총직접노무비 가격차이 AQ * (AP - SP) + 총직접노무비 능률차이(AQ - SQ) * SP

실제원가와 표준원가의 차이 분석을 위한 주요공식을 살표 보면 [표 7.3]~[표 7.4]와 아래와 같이 직접재료비의 실제총원가는 실제수량 **AQ**와 직접재료비 단위당실제가격 **AP**를 곱하여 계산한다. 직접재료비의 표준총원가는 표준수량**SQ**에 직접재료비단위당 표준가격 **SP**를 곱하여 계산한다.

직접재료비 실제 총원가 = 실제수량 AQ * 직접재료비 단위당 실제가격 AP 직접재료비 표준총원가 = 표준수량 SQ * 직접재료비 단위당 표준가격 SP

직접재료비 실제원가와 표준원가차이를 가격차이와 능률차이로 표시하기 위해서는 직접재료비 실제총원가에서 직접재료비 표준총원가를 **빼서** 아래와 같이 계산한다.

> 직접재료비 실제원가와 표준원가차이 = 직접재료비 실제총원가 - 직접재료비 표준총원가

직접노무비의 실제원가와 표준원가의 차이 계산에서는 아래와 같이 직접노무비 실제 총원가에서 직접노무비 표준원가총원가를 **빼서** 계산한다.

> 총직접노무비 실제원가와 표준원가차이 = 직접노무비 실제총원가 - 직접노무비 표준총원가

[표 7.4] 실제원가와 표준원가의 차이분석

실제원가와 표준원가의 차이 분석을 위한 주요공식(중요도: 별7)
3. 변동제조간접비의 실제원가와 표준원가의 차이 계산 총변동제조간접비 실제원가와 표준원가차이 = 변동제조간접비 실제총원가 - 변동제조간접비 표준총원가 = (실제조업도노동시간 AQ * 제조간접비 단위당 실제가격 AP) - (표준조업도 SQ * 제조간접비 단위당표준가격 SP) = (AQ * AP) - (SQ * SP) = (AQ * AP) - (AQ * SP) + (AQ * SP) - (SQ * SP) = { (AQ * AP) - (AQ * SP) } + { (AQ * SP) - (SQ * SP) } = AQ * (AP - SP) + (AQ - SQ) * SP = 변동제조간접비 소비차이 AQ * (AP - SP) + 변동제조간접비능률차이 (AQ - SQ) * SP ※ 총변동제조간접비 실제원가와 표준원가차이 = 변동제조간접비 소비차이 AQ * (AP - SP) + 변동제조간접비능률차이 (AQ - SQ) * SP = 변동제조간접비소비차이 { (AQ * AP) - (AQ * SP) } + 변동제조간접비능률차이 { (AQ * SP) - (SQ * SP) }
4. 고정제조간접비의 실제원가와 표준원가의 차이 계산 총고정제조간접비 실제원가와 표준원가차이 = 고정제조간접비 실제총원가 - 고정제조간접비 표준총원가(표준배부액) = (실제조업도AQ * 고정제조간접비 단위당 실제가격 AP) - (표준조업도 SQ * 제조간접비단위당표준가격 SP) = (AQ * AP) - (SQ * SP) = (AQ * AP) - (AQ * SP) + (AQ * SP) - (SQ * SP) = { (AQ * AP) - (AQ * SP) } + { (AQ * SP) - (SQ * SP) } = 고정제조간접비실제발생총원가 AQ * AP - (실제조업도AQ * 제조간접비단위당표준가격 SP) + (실제조업도AQ * 제조간접비단위당표준가격 SP) - (표준조업도 SQ * 제조간접비단위당 표준가격 SP) = 고정제조간접비 예산차이 + 고정제조간접비 조업도 차이 ※ 총고정제조간접비 실제원가와 표준원가차이 = 고정제조간접비 예산차이 + 고정제조간접비 조업도차이 고정제조간접비 예산차이 = 고정제조간접비실제발생총원가AQ * AP - (실제조업도AQ * 제조간접비단위당표준가격 SP) 고정제조간접비 조업도차이 = (실제조업도AQ * 제조간접비단위당표준가격 SP) - (표준 조업도SQ * 제조간접비단위당표준가격 SP)

변동제조간접비의 변동제조간접비의 실제원가와 표준원가의 차이 계산에서는 아래처럼 변동제조간접비 실제총원가에서 변동제조간접비 표준총원가를 빼서 계산한다.

> 총 변동제조간접비 실제원가와 표준원가차이 = 변동제조간접비 실제총원가 - 변동제조간접비 표준총원가

고정제조간접비의 실제원가와 표준원가의 차이 계산에서는 아래와 같이 고정제조간접비 실제총원가에서 표준총원가를 빼서 계산한다.

> 총 고정제조간접비 실제원가와 표준원가차이 = 고정제조간접비 실제총원가 - 고정제조간접비 표준총원가(표준 배부액)

예제1) 당기에 영업을 개시한 ㈜ 금융은 원가관리를 목적으로 표준 원가계산시스템을 사용하고 있
다. 직접노동시간을 기준으로 제조간접원가를 배부하고 있다. 제품1단위당 표준원가는 다음
과 같고 예제1의 데이터를 그대로 사용하여 계산한다고 가정하였다.

항목	단위당 표준원가(SC) = 단위당 표준수량(SQ) × 단위당표준가격(SP)		
	단위당 표준수량(SQ)	단위당표준가격(SP)	단위당 표준원가(SC)
직접재료원가	60kg/개	100원/kg	6,000원/개
직접노무원가	40시간/개	60원/시간	2,400원/개
변동제조간접원가	40시간/개	26원/시간	1,040원/개
고정제조간접원가	40시간/개	5원/시간	200원/개
제품1개당 표준 제조원가			9,640원/개

(1) ㈜ 금융의 연간 고정제조간접원가 예산은 20,000,000원이고, 기준조업도는
4,000,000 직접노동시간이다.

(2) 당기에 실제생산량은 120,000 개이고, 재공품 재고는 존재하지 않는다. 실제생산량
120,000개에 대한 실제 발생 원가는 다음과 같다고 가정하였다.

항목	120,000 개를 생산하기 위해서 사용된 실제원가 실제 원가 = 실제수량 × 실제가격			
	실제수량	실제가격	실제 원가	단위당실제원가 (120,000로 나눔)
직접재료원가	6,720,000kg	110원/kg	739,200,000원	6,160원/개
직접노무원가	5,400,000시간	50원/시간	270,000,000원	2,250원/개
변동제조간접원가	172,800,000원		172,800,000원	1,440원/개
고정제조간접원가	18,000,000원		18,000,000원	150원/개
당기총제조원가			1,200,000,000원	10,000원/개
제품1개당 실제 제조원가	1,200,000/120,000 = 10,000원/개			

(3) 당기에 구입한 원재료는 7,000,000kg이며, 구입가격은 110/kg이다.

[요구사항 1] 위의 데이터를 사용하여 표준원가계산방식으로 아래의 문제를 풀어요.
i) 제품1단위를 생산하는데, 제품1단위당 표준직접 재료 원가는 얼마인가?
ii) 제품1단위를 생산하는데, 제품1단위당 표준직접노무원가는 얼마인가?

iii) 제품1단위를 생산하는데, 제품1단위당 표준원가는 얼마인가?

iv) 제품1단위를 생산하는데, 제품1인당 표준원가는 얼마인가?

v) 단위당표준원가를 계산하고, 실제생산량을 기준으로 당기 총 제조원가를 계산하시오.

[요구사항 2] 위의 표준원가계산과 실제원가계산의 원가요소별로 원가차이를 구하시오.

풀이

I) 제품1단위를 생산하는데, 표준직접재료비는 60kg/개, 직접재료의 표준 가격은 kg당 100원인 (100원/kg) 경우의 제품1단위당 표준직접 재료원가는 얼마인가?

제품1단위당 표준직접재료 원가(원/개) = 표준수량(SQ)×원재료단위당 표준가격(SP) = 60kg/개 ×100원/kg = 6,000원/개

ii) 제품1단위를 생산하는데, 표준직접노무는 40시간/개 소요되고, 직접노무원가의 표준가격은 시간당 60원(60원/시간)인 경우에 제품1단위당 표준직접노무원가는 얼마인가?

제품1단위당 표준직접노무원가(원/개) = 표준수량(SQ)×원재료단위당 표준가격(SP) = 40시간/개×60원/시간 = 2,400원/개

iii) 제품1단위를 생산하는데, 변동 제조간접원가요소의 표준수량은 40시간이 소요되고, 변동 제조간접원가의 표준가격은 시간당 26원(26원/시간) 인 경우에 제품1단위당 표준원가는 얼마인가?

표준 변동 제조간접원가 = 표준수량(SQ)×원재료단위당 표준가격(SP) = 40시간/개×26원/시간 = 1,040원/개

iv) 제품1단위를 생산하는데, 고정제조간접원가요소의 표준수량은 40시간이 소요되고, 고정제조간접원가의 표준가격은 시간당 10원(10원/시간)인 경우에 제품1인당 표준원가는 얼마인가?

제품1단위당 표준고정제조간접원가 = 표준수량(SQ)×원재료단위당 표준가격(SP) = 40시간/개×5원/시간 = 200원/개

v) 제품1개당 표준 총 제조원가 = 제품1개당 표준직접재료원가 + 제품1개당 표준직접노무원가 + 제품1개당 표준 변동 제조간접원가 + 제1개당 표준고정제조간접원가 = 6,000 + 2,400 + 1,040 + 200 = 9,640

120,000개를 실제로 생산한 경우에

① 표준 당기 총 제조원가 = 제품1개당표준원가9,640원/개 * 실제생산량120,000개 = 1,156,800,000원

② 실제 원가로 120,000개를 생산한 경우의 실제 당기 총 제조원가 = 1,200,000,000원

1. 원가 차이분석

위의 예제에서 풀었던 데이터를 사용하여 원가차이분석을 위한 표를 작성하면, 아래와 같이 요약할 수 있다.

120,000개 제품을 생산한 경우에 실제원가와 표준원가를 사용한 차이분석 , 직접노동시간은 기준조업도			
원가요소별	총 AQ×AP 실제원가	총 AQ×SP	총 SQ×SP 표준원가
직접재료원가	6,720,000kg * 110원/kg = 739,200,000원	6,720,000kg * 100원/kg = 672,000,000원	(120,000개 * 60kg/개) * 100원/kg = 720,000,000원
직접노무원가	5,400,000시간 * 50원/시간 = 270,000,000원	5,400,000시간 * 60원/시간 = 324,000,000원	(120,000개 * 40시간/개) * 60원/시간 = 288,000,000원
변동제조간접원가	120,000개 * 1,440원/개 = 172,800,000원	5,400,000시간 * 26원/시간 = 140,400,000원	(120,000개 * 40시간/개) * 26원/시간 = 124,800,000원
고정제조간접원가	18,000,000원	연간 고정제조간접원가 예산 20,000,000원	(120,000개 * 40시간/개) * 5원/시간 * = 24,000,000함

총 AQ는 실제수량을 나타내고 AP는 실제가격을 나타낸다. SP는 표준가격을 총SQ는 실제생산수량에 단위당표준수량을 곱한 값을 표시한다.

이 값들을 사용하여 원가요소별 원가차이분석을 하면, 아래와 같이 풀 수 있다.

가. 직접재료원가 원가 차이분석

1) 직접재료원가 가격차이 계산

직접재료원가 가격차이 = (총AQ * AP 실제원가) - (총AQ * SP) = 739,200,000 - 672,000,000 = 67,200,000원 (U: 불리한 차이)

실제원가가 다른 원가보다 크게 발생시켜서 당기순이익을 감소시키면서 불리한 차이발생

2) 직접재료원가 능률차이 계산

직접재료 원가 능률차이 = (총AQ * SP) - (총 SQ * SP 표준원가) = 672,000,000원 - 720,000,000원 = -48,000,000원 (F: 유리한 차이)

실제원가를 포함한 계산 값이 표준 원가 계산 값 보다 작아서 능률에서 유리한 차이가 발생함

3) 직접재료원가 총차이 계산

직접재료원가 총차이 = (총AQ * AP실제원가) - (총 SQ * SP 표준원가) = 739,200,000 - 720,000,000원
= 19,200,000 (U: 불리한 차이)

직접재료원가 총차이에서는 양수가 발생하여 불리한 차이(U)가 발생하였다.

직접재료원가 총차이는 아래와 같이 계산해도 동일한 값이 나온다.
직접재료원가 총차이 = 직접재료원가 가격차이 + 직접재료원가능률차이 = 67,200,000원 -48,000,000
원 = 19,200,000원

나. 직접노무원가 원가 차이분석

1) 직접노무원가 가격차이 계산

직접노무원가 가격차이 = (총AQ * AP 실제원가) - (총AQ * SP) = 270,000,000 - 324,000,000 =
- 54,000,000 (F: 유리한 차이)

실제원가가 다른 원가보다 작아서 음수이므로 당기순이익을 증가시키면서 유리한 차이발생

2) 직접노무원가 능률차이 계산

직접노무원가 능률차이 = (총AQ * SP) - (총 SQ * SP 표준원가) = 324,000,000원 - 288,000,000원 =
36,000,000 (U: 불리한 차이)

실제원가를 포함한 계산 값이 표준 원가 계산 값보다 커서 능률차이에서 양수 값을 가져서 불리한 차이가
발생함

3) 직접노무원가 총차이 계산

직접노무원가 총차이 = (총AQ * AP실제원가) - (총 SQ * SP 표준원가) = 270,000,000 - 288,000,000원
= - 18,000,000 (F: 유리한 차이)

직접노무원가 총 차이에서는 음수가 발생하여 유리한 차이(F)가 발생하였다.

아래와 같이 직접노무원가의 총 차이를 계산해도 위의 계산 값과 동일한 유리한 차이(F)가 발생하였다.
직접노무원가 총 차이 = 직접노무원가 가격차이 + 직접노무원가 능률차이 =
- 54,000,000원 + 36,000,000원 = - 18,000,000원 (F: 유리한 차이)

다. 변동 제조간접원가 차이분석

1) 변동 제조간접원가 가격차이 계산

변동 제조간접원가 가격차이 = (총AQ * AP 실제원가) - (총AQ * SP) =
172,800,000 - 140,400,000 = 32,400,000원 (U: 불리한 차이)

변동 제조간접원가의 실제 원가계산 값이 표준원가를 포함한 값보다 커서 변동 제조간접원가 가격 차이에
서 양수 값을 가져서 불리한 차이가 발생함

2) 변동 제조간접원가 능률차이 계산

변동 제조간접원가 능률차이 = (총AQ * SP) - (총 SQ * SP 표준원가) = 140,400,000원 - 124,800,000원 = 15,600,000원 (U: 불리한 차이)

실제원가를 포함한 계산 값이 표준 원가 계산 값보다 커서, 계산 값이 양수를 가져서 변동 제조간접원가 능률차이에서 불리한 차이가 발생함

3) 변동 제조간접원가 총 차이 계산

변동 제조간접원가 총 차이 = (총AQ * AP실제원가) - (총 SQ * SP 표준원가) = 172,800,000 – 124,800,000 = 48,000,000(U: 불리한 차이)
변동 제조 간접 총 차이에서는 양수가 발생하여 불리한 차이(F)가 발생하였다.

아래와 같이 변동 제조간접원가 총 차이를 계산해도 위의 계산 값과 동일한 불리한 차이(U)가 발생하였다.
변동 제조간접원가 총 차이 = 변동 제조간접원가 가격차이 + 변동 제조간접원가 능률차이 = 32,400,000원 + 15,600,000원 = 48,000,000원(U : 불리한 차이발생)

라. 고정제조간접원가 차이분석

1) 고정제조간접원가 가격차이 계산

고정제조간접원가 가격차이 = (총AQ * AP 실제원가) - (총AQ * SP) = 18,000,000 – 20,000,000 = - 2,000,000원 (F: 유리한 차이)

실제원가를 포함한 계산 값이 표준원가를 포함한 계산 값보다 작아서 가격 차이에서 유리한 차이가 발생함. (총AQ * SP) 값은 고정제조간접원가의 예산 값을 사용함

2) 고정제조간접원가 능률차이 계산

고정제조간접원가 능률차이 = (총AQ * SP) - (총 SQ * SP 표준원가) = 20,000,000원 - 24,000,000원 = - 4,000,000원 (F: 유리한 차이)

실제원가를 포함한 계산 값이 표준원가를 포함한 계산 값보다 작아서, 음수가 나와서 능률에서 유리한 차이가 발생함

3) 고정제조간접원가 총 차이 계산

고정제조간접원가 총 차이 = (총AQ * AP실제원가) - (총 SQ * SP 표준원가) = 18,000,000 – 24,000,000원 = - 6,000,000 (F:유리한 차이)
변동 제조 간접 총 차이에서는 음수가 발생하여 유리한 차이(F)가 발생하였다.

아래와 같이 고정제조간접원가 총 차이를 계산해도 위의 계산 값과 동일한 유리한 차이(F)가 발생하였다.
고정제조간접원가 총 차이 = 고정제조간접원가 가격차이 + 고정제조간접원가 능률차이 = - 2,000,000원 - 4,000,000원 = - 6,000,000원(F: 유리한 차이)

참고문헌

1. 원가관리회계 이승근저 2017년 도서출판 샘북

2. 원가관리회계 송상엽, 이상효, 최영훈, 박우진, 2009년 도서출판 웅지

3. 전산회계1급 공경태, 김이배, 김재준 2009년 도서출판 세학사

4. 전산세무 1급 이성노, 이슬기 2014년 도서출판 경영과회계

5. 원가관리회계 백태영저, 2015년 도서출판 신영사

6. Ffth edition cornerstones of managerial acccounting, M. M. Movwen, D. R. Hansen, and D. L. Heiter , south - western cengage learning

7. 원가계산 오현택, 천미림, 배기수, 2016년 ncs 학습모듈(한국직업능력개발원)

8. 세무사2차대비 원가관리회계, 이동욱, 이승근 2014년 상경사

저자소개

· 보험개발원근무

· 아주대학교 MBA 경영학석사(회계학전공) 졸업

· 한양대학교 전자계산학과 박사수료

· 현재 안산대학교 금융정보학과 교수

쉽게 풀어 쓴 원가회계

1판 1쇄 인쇄 2021년 02월 20일
1판 1쇄 발행 2021년 03월 02일
저　　자　고종하
발 행 인　이범만
발 행 처　**21세기사** (제406-00015호)
　　　　　경기도 파주시 산남로 72-16 (10882)
　　　　　Tel. 031-942-7861   Fax. 031-942-7864
　　　　　E-mail : 21cbook@naver.com
　　　　　Home-page : www.21cbook.co.kr
　　　　　ISBN 978-89-8468-884-1

정가 20,000원